霍桑探案

 程小青作品

霍桑探案

程小青 著

DETECTIVE
HUO SANG

第二张照

13

海南出版社

·海口·

图书在版编目（CIP）数据

霍桑探案. 13，第二张照 / 程小青著. -- 海口：
海南出版社，2025. 1. -- ISBN 978-7-5730-2074-1

Ⅰ. I247. 7

中国国家版本馆 CIP 数据核字第 2024V8P526 号

霍桑探案 13　第二张照

HUO SANG TAN'AN 13　DI'ER ZHANG ZHAO

作　　者：程小青
策 划 人：彭明哲
责任编辑：高婷婷
插　　画：杨冬梅
封面设计：张　军
责任印制：郤亚喃
印刷装订：河北盛世彩捷印刷有限公司
读者服务：张西贝佳
出版发行：海南出版社
总社地址：海口市金盘开发区建设三横路 2 号
邮　　编：570216
北京地址：北京市朝阳区黄厂路 3 号院 7 号楼 101 室
电　　话：0898-66812392　010-87336670
电子邮箱：hnbook@263.net
经　　销：全国新华书店
版　　次：2025 年 1 月第 1 版
印　　次：2025 年 1 月第 1 次印刷
开　　本：880 mm×1 230 mm　1/32
印　　张：9.25
字　　数：208 千字
书　　号：ISBN 978-7-5730-2074-1
定　　价：46.00 元

· 目录 ·

轮痕与血迹

第二张照

王冕珠

霍桑的童年

无 头 案

"断头！断头！"

　　我的朋友霍桑以非职业性的姿态从事侦探罪案的工作已经好多年了。几年中，上门请求帮助的人接踵不断，我的朋友接办的案子很多，我曾先后把其中精彩的案件记述下来并公诸于世，让社会人士一起欣赏。凡是读过我文章的人，都已熟悉他的为人，不用我再做介绍。不过有一点得向读者报告，虽然我的朋友破案很多，我不可能全部把每一件罪案介绍出来。其中当然有原因，并不是我贪懒。每当我的朋友侦探案件时，我总是和他在一起，有时也冒着很大的危险，出生入死，尽力帮助他取得成功。我的朋友嘉奖我出力有功，允许我有特别权利为他记述。不过不能一概而论，有时案情十分诡谲，有碍社会风化，或者案中人物还活着，不便涉及隐私，像这种情形，他都禁止我发表。我赞同这样的处理。我们从事写作工作，对于社会风化负有一定责任，偶然落笔也必须三思而后行。否则侈言怪奇迹近炫惑，或揭露秘隐也有损私德，这些都是我所不愿做的。因此每记录一桩案件，我必先征得我朋友的同意，然后才下笔。我的日记中记录的案件虽然很多，然而能发表的并不多，原因就在于此。

　　这一篇所记述的是悲惨离奇的一件命案。我现在握笔叙述，是事先获得霍桑特许的。

有一年冬天，霍桑从泰山旅游回来，行装刚卸下，凶案突然就到了，真是出人意料。这一天是霍桑回到苏州的第三天，隔天晚上开始下的大雨才停止不久，天气还十分阴暗，时近黎明，格外觉得寒气逼人，仿佛一个人久病刚愈，软弱无力，一时还不能很快恢复体力。我们怕外出，因此我强求我的朋友把旅途中的见闻当作话题，排遣我们的寂寞。霍桑答应把他旅游中所见到的事告诉我，一边笑谈一边还加以评论，颇有独到之处。霍桑每次外出旅行，观察很详细，眼光也没有拘束，凡是当地的风俗习惯，以及社会上的生产经济治安的状况，他都加以注意。我常常称赞他敏锐，别具只眼。霍桑十分谦虚地不肯承认。其实他平素为人精警而干练，观察力又特别强，我为此称赏他，他应该是受之无愧的。

我们谈笑片刻，霍桑忽然站起来，停止了锋锐的谈话说道："包朗，我们相识已久，而且常在一起，随时随地我都可以向你述说旅行的见闻，何必一天之中全部讲完。我现在想试试我的小提琴。长久不拉，怕手指有点生疏了。"说完，霍桑走过去把小提琴从琴匣中拿出来，稍稍调拨，即呜呜地拉了起来。

我的朋友最喜爱音乐，尤其偏爱提琴，但并不常常拉琴。每次拉琴多半是他心情愉快的时候，偶然有不顺意，心中抑郁，也欢喜取琴来自我解愁。两者不同的是：心情愉快时，音韵婉转，抑扬顿挫，节节合拍；心情忧郁时，乐曲往往节奏强烈，音调铿锵，像是借用琴弦发泄心中的烦恼郁结。我可以从乐声中辨别出他是快乐还是忧烦，这是屡试屡验的。此时，我小心聆听，觉得琴声婉转曼妙，悠扬动听，我就知道这次霍桑旅行回来，心胸开朗，十分愉快。我闭上眼睛，静静聆听，不禁为之神移。处在这种寂静的境界之中，我的神思早已游荡于虚无缥缈间，忽然，琴声戛然而止。

霍桑以责备的口吻大声呵斥："施桂，你吵什么没完没了，你和什么人在比口才？"

我张开眼睛，看见霍桑拿着小提琴，直奔到外面去。这座房子本来是我与霍桑合租的。屋子不大，一共有三间，一间招待宾客，一间是卧室，另一间为我们两人的办公室。一年前我母亲逝世后，我就辞去学校的职务，离开旧家，从葑桥搬来此地，专心写作，有空暇时就帮助霍桑侦探案件，借此增长见识，同时丰富我写作的题材。

这时候，我只听见人声嘈杂，还有哭闹的声音，好像施桂正跟人家在争吵。因此我也走出去瞧瞧。走到院中，只见施桂站在大门前，横挡住入口，门外是一位衣衫褴褛的老妇人，黑布有油光的棉袄打满了补丁，她想冲进大门，满脸泪水，喃喃自语，而施桂却挥手竭力阻止她进来。

霍桑走到施桂身旁，训斥道："施桂，不要如此无礼，老婆婆有什么事？为何不让她进来？"

我的朋友为此生气地责备用人是有原因的。本来他办理罪案不是职业性的，常常有人表示感激而送礼品给我朋友。他总是看情形决定，应该接受的就收下，并不损害他的廉洁。然而对于一般自食其力的劳动阶级的人，他总是不计报酬，不怕艰难辛苦，更加尽心尽力。这是因为我们国家其实还处在封建时代，司法制度不健全，常常有人蒙冤含屈无处可以申诉，无产而又无势的劳苦大众更是深受其害。霍桑天生有侠义的精神，认为阶级的不平等是个毒瘤，立誓要以一生的精力把它割除。此时眼见施桂斥责阻挡的是一个年老贫苦的老婆婆，心中不禁产生同情怜悯的感情，因此大声阻止施桂。

施桂局促地回答："先生，这老妇人是个疯子。我问她要干什么，她只是叫着'断头！断头！'，语无伦次，所以我不让她进来。"

门外的老妇一边擦着热泪一边争辩道："我来要见霍桑先生，这人真可恶，把我推到门外，我恨不得把他的头拧下来！"

这时候门外已经有三四个人好奇地向里面注视，我心想幸亏这里是十全街，地段静僻，而且是清晨，行人不多，不然的话苏州人最好奇，最欢喜打听别人的闲事，经他们一闹，如果召来数十百人围观，那将是怎样的局面？霍桑等老妇人的话说完，马上挥手吩咐施桂走开，并把老妇急招进来，随即把大门关住。

老妇看上去年事已高，满头白发纷乱地披在肩头，枯瘦的脸面上洒满了泪痕，但是两只眼睛却炯炯有光，仿佛有无限的恐怖。进屋以后，老妇用黑布衣角擦拭眼泪，张眼向屋子四周观看，像找寻什么似的：

"先生，你有没有看见我媳妇的头？我媳妇的头不见了……我儿子的头也要斩下来赔偿了……先生，你能帮我找到媳妇的头吗？"

老妇人的话语无伦次，施桂说的一点儿不错，老妇人莫不真是个疯子吗？霍桑并没有作答，他让老妇人坐在软椅上，自己返身走到内室，拿了一只玻璃杯走出来，里面约有半寸高低的无色液体，我知道这是白兰地。霍桑把酒杯交给老妇，初起老妇不接受，强迫之后，她才饮下去。

霍桑看看我低声说道："包朗，我们方才的清趣都被她打扰了，未免扫兴！但是看来老妇这次上门一定怀有悲惨的经历，也足以增长你的见识了。"

老妇人把酒喝完，脸上有些红晕，神色显得安宁一些，但是目光还是朝角隅东张西望。

霍桑温和地问："老婆婆你住在何处？你姓什么？来见我有什么事？请你慢慢讲，不要为此恐怖！"

老妇抬起脸，期期艾艾地说："先生就是霍桑吗？我听倪三先生说，这件事只有你有能力拯救，所以他告诉我地址，特地叫我来恳求先生，你真能救救我吗？"

我听老妇的话，虽然突兀，但已经略有头绪，看来老妇的神智已经比刚才清醒些了。

霍桑对她说："请不必担忧，如果我力所能及，必尽力帮忙，请你告诉我，究竟是什么事？是你家中发生了祸害？"

老妇忽然张大了眼睛，两手紧握，恐惧地说："一点儿不错，一点儿不错，我家的媳妇昨夜忽然被人杀死！今天早晨警察把我儿子阿敏抓去了。邻居对我说阿敏也会被斩下头来偿命的。可怜！阿敏是我独生子，我自小疼爱他，当作自己性命，谁要是杀我儿子，我也不要活了。先生，你一定得救阿敏，否则我也只能死呀！"老妇声音呜咽，热泪直流，悲伤不已。

霍桑应声道："可以，可以，我一定想法救你儿子。不过你告诉我，你的媳妇果真是你儿子杀死的吗？"

老妇说："我不知道呀，邻居和警官都指控是阿敏杀死了她，因此阿敏要被杀头偿命。天呀，阿敏如果断头，我的心能不碎吗？"

霍桑安慰说："你也不必轻信别人的话，照现在的刑法，从未听见有断头的条例。如果你儿子是真凶，也不会为此上刑，何况真假不知，官警守法，怎么能轻易斩你儿子的头！"

老妇急急摇手说："这事很不寻常，我媳妇的头已经丢失，毫无疑问，阿敏的头也必然会被斩断……一定斩断……"老妇的精神状态似乎仍是不平静，可见她受刺激很深。霍桑依旧温和地对她劝慰。

他说："老婆婆，不要怕，我可以保证绝没有这种事的，不过你要把详细情形如实告诉我，你媳妇的头是什么缘故丢失的？"

老妇凝目片刻，像在追忆什么似的，说道："这件事我不十分清楚，但是记得昨天深夜，阿敏推开房门进入我的卧室，恐慌地告诉我，媳妇被杀，而且头已被人斩去。我赶紧披上衣服下楼，果然看见媳妇倒卧在扶梯下，头部齐颈项起被切断，血迹斑斑，形状可怖。我与阿敏四处找寻，想把头找回来，找到黎明，仍是不见，而儿子已经被抓到官府里去了！"

说到这里，老妇又呜咽地哭起来，满脸泪水，勉强站起，周身便发抖，消瘦的两腿似乎支持不了这种恐怖，重新又坐下来。

我的朋友回过头，看住我，说道："包朗，我们探案至今，从未听到过失头的奇案。现在遇到这样的事真是空前的奇闻。"

我回答道："话一点儿不错，这老妇虽未必疯癫，但她神志不清，案子究竟真相怎样，如果听凭她的口述，要弄清楚那是不可能的。"

霍桑说："对，我也知道现在与其空谈，何不亲自前去观察一下，以明究竟。你跟我一起去吗？"

我自忖最近无事，空暇得很，现在有这桩前所未闻的无头案件，足以拓开我的见闻，去一趟有什么不好？

我答道："一定奉陪。不知老妇住在何处，远不远？"

老妇听到我的话立刻答道:"我家在葑门外马桥,离此不远,先生们能立刻就走吗?"

霍桑点头说:"可以。老婆婆请坐一会儿,让我拿了大衣帽子就跟你走。"霍桑对我投了一眼,走进内室去。

我跟他进去穿了件外衣,手中拿着帽子等候霍桑。霍桑换好衣服,还带些侦探应用的工具放入大衣口袋里。装束停当,走出来看见老妇已经兀立等待,为她儿子的祸患,真有点急不可耐。

霍桑对她说:"我们走吧,不要再焦急恐惧,我们是去救你儿子的。"

老妇听后,神色喜悦,双手合十做膜拜的形状。霍桑急忙阻挡,于是我们离开寓所,一起上路。走不多远,我回头看见仆役施桂站在门边,跟一邻居指手画脚地在谈话,还努起嘴巴做出一副怪相,认为我们随便听信疯婆的话,盲目跟从她去的行为是不可思议的。说实话,老妇并非真的疯癫,只因家里横遭巨变,加上爱子心切,惊忧交集,以致精神失常,她是世界上最伤心的人呀!

老妇在前引导,我们跟随着她出葑门,朝横街走。老妇一边还在暗暗弹泪,路人看见,都盯着她,偶尔有人还发出嬉笑像是遇到了奇观,竟然没有一个人表示怜悯同情。唉!社会失去教养,这些愚蠢的人,连感情也变得麻木不仁了。

临近住所,有一个小孩高叫道:"尤老太,尤老太,你儿子对杀妻罪已经供认不讳,现在警察正在找你呢!"

孩童的话还未说完,老妇已惊骇得浑身抖缩,霍桑来不及赶去扶持,老妇已经晕倒在地,动弹不得。

无头尸体

我见老妇倒地，立刻伸手把她搀扶起来，但她仍然神志昏迷，我和霍桑一起扶住老妇，同时招呼报信的小孩为向导，一起往老妇家走去。

马桥在市梢头，我们走过桥，就看见一座高楼，屋前有许多人围立得像一垛墙，屋子显得陈旧，可见年岁已久，不过木料不坏，虽旧还能支持而不致倾斜。门前有两个警士守卫着，围观好奇的人男女成群，都是沿着门抬着脚跟向里面观看，不敢进去。有一位穿西装，头发梳得油光光的男子回头看见霍桑扶着尤姓老妇走来，他就突然退去。方才报告消息的男童把我们引领到大门口，就停足不肯进去了。霍桑挥手排开众人，扶老妇进屋。刚走到庭院中心，屋里走出两个人来相迎。一个是莳门区的巡官，姓周，穿黑色呢质制服，戴眼镜，蓄短须，颇有小官僚的风度，另外一个是少年，称呼老妇为姨母，可知是她的外甥，他是听到警报赶来的。那位巡官见到老妇，一脸的傲慢相，正想启齿说话，霍桑急急摇手阻挡。

霍桑说："老婆婆刚才晕倒过，暂时请不要问话。"

巡官声色严厉地问："我要老妇告诉我头在哪里，你是谁，竟敢阻止我？"

霍桑对他的问话置之不理，却看着老妇的外甥说道："扶你姨母进卧室，让她静躺一会儿，不能再使她受惊吓了！"

老妇的外甥是二十四五岁的青年，衣着很朴素，相貌端正，听霍桑吩咐后，立刻趋前扶住老妇，慢慢转向后面一间房子去。

霍桑回过身来拿出一张名片交给巡官："这是我的姓名，

我并非有意阻挡，因为方才她昏迷过去，若再一次受到刺激，可能导致她发疯，这样对先生也不利。"

巡官看过名片后，骄傲的神色就收敛下来，急忙有礼貌地说："对不起，先生是有名的大侦探，方才我有眼不识泰山，请原谅。不过这件案子已经证实，凶手也早已逮捕，不用再烦先生劳神了。我现在所要的是找到被杀者的头颅，做结案的最后证据。"

霍桑掀了一下眉毛，问道："是吗？你确定妇人是被她的丈夫用刀杀死的？"

巡官说："一点儿不错。尤敏刚才在警察局直供不讳，承认他是杀死妻子的真凶。"

"真的吗？果真如此当然更好，但你问过他为什么要杀妻吗？你听到他的招供吗？"

"是我亲自把他押解到总局去，他招供时，我也在场，据他自己说，因酒醉不省人事，为一些小事两人发生口角，结果误杀了妻子。"

"他就只有这些供词？我觉得未免太简略。我想夫妻情笃，喝醉了酒，为些鸡毛蒜皮的事何致杀人？而且杀死后还割断头，残酷已极，似乎太不合情理，先生意见如何？"

"话虽如此，但这件案子还有远因，先生只要问问邻居便可知道。"

"什么远因？请告诉我。"

"尤敏是个无业游民，半生的生活无非是醉酒、赌博加上搞妓女，夫妇间常常争吵，不相和睦。昨天傍晚尤敏离家外出时，还跟死者吵过架。"

"当真？你怎么知道？"

"是邻居倪三讲的，先生不信可以查问。"

霍桑回头看见方才领路的男孩还站在门边，便问道："你认识倪三先生的家？"

男童点点头："就在隔邻。"

霍桑说道："好极了，帮我把他请过来！"

男孩答应一声就去了。

霍桑又盯住巡官问："即使尤敏确是凶手，似乎也应该有充分的证据，只根据他空口无凭的供词，就定他罪名，论情论法都是不相真伪，先生以为对吗？"

巡官说："不错，但是我已获得他杀人的凶器，也是他亲自拿出来的。"

霍桑诧异地问道："是否正确？究竟是什么凶器？从何处得来？"

巡官转身从桌上拿出一个纸包，打开一看，里面是一把尖刀，刃长大约六七寸，骨制刀柄，刀锋十分锐利，但是光亮干净，不见一丝血迹。

巡官说："这柄刀是我刚才在楼上卧室中找到的，尤敏说杀妻之后把刀藏在床底下，一搜果然有刀，这是一件证据。"

霍桑拿刀细细观察，还用放大镜检查刀柄，说道："这柄刀确是锋锐可以杀人。可是何以没有血迹？"

巡官说："这倒不难，他杀人以后既然知道把刀藏匿，岂有不先擦干净之理。"

霍桑道："你说得有理，不过杀人还斩头，一定流血很多。尤敏在仓皇的情况下竟然把刀揩擦得这样干净，令人不无可疑。"说完，把刀还给巡官。

此时男孩引进一人，四十左右年纪，面孔瘦削，两眼深黑，身材矮小，穿一件灰布棉制长袍，走起路来有些左右摇摆，做出斯文的形态。后来我知道这就是老妇所说的倪三先生，在隔壁办一家私塾。

倪三看见霍桑，立刻有礼貌地说道："先生是不是当年破孙守根家盗窃案的大侦探吗？久仰久仰。这次阿敏做这疑案，尤老太悲伤之极，无法辩白，因此想只有先生才能查个究竟，承蒙光临，疑案一定能迎刃而解。先生要我来，有何见教？"

霍桑谦虚了一下便提出疑点问他："我想知道平素尤敏的行为和夫妻间的情况。先生如有所知，请给予指示。"

倪三说道："要讲尤敏平日为人，他没有固定职业，吃喝嫖赌，众人都知道，无可讳避，夫妻间时常争吵，左右邻居也没有不知道的。"

霍桑问道："那么昨天是否发生过口角？"

"有呀，大约在晚饭之前。"

"先生知道他们吵架的原因吗？"

"我约略听到一点，阿敏问妻子要钱去赌，阿敏嫂拒绝，于是就争吵起来。"

"他们口角时也动过武吗？"

"这是常有的事，不过平时阿敏嫂往往忍气吞声，不敢跟他计较。"

巡官插口道："照此看来，同案情不就更相符了？"

霍桑点头说："不错。但是探案一定要以慎重为主，现在情节虽有了，还要证据不缺，然后才可以避免冤狱，真凶也不致漏逃。"说到这里回顾倪三问道："照先生观察，这件案子真凶确是尤敏吗？"

倪摇头道："这件事关系重大，我不愿说什么。"

巡官急忙插口道："霍先生，倪三先生因责任重大，不能随便表态，其实方才他列举夫妇间水火不相容的种种证据，就已经确信尤敏是真凶了。"

倪三用力摇手辩论说："不对，不对，我初起并无此意。我知道凡是侦查疑案，重要的是搜集事实，我既然指点尤婆婆去请霍先生来，目的是剖白这件案子，凡我所知道的事实，自当如实报告。"

霍桑说道："倪先生的话一点儿不错，做一个公民都应该有责任作证。倪先生能如此，值得嘉奖。"

姓周的巡官有点扫兴，手捻短须，以白眼看着倪三。霍桑默然注视着巡官的窘态，看对方如何下台阶。我认为巡官未免有点刚愎自用，当政者如此，人民就遭殃了。倪三忽然用手摸着耳朵，欲言又止，霍桑看见，急忙询问。

霍桑问："倪先生有什么话？"

倪三吞吞吐吐说："我……我觉得还有一件事……也不知道有没有关系，因此不敢随便瞎说。"

霍桑说："没有关系，说出来听听。"

倪三说："前天晚上有个叫小牛的人曾破口大骂阿敏嫂——"话又中断，他朝周看了一眼似乎有些顾忌。

霍桑高度重视，说道："倪先生，尽管说出来，不要顾忌，谁是小牛，为什么骂人？"

倪三说："小牛住在蒋门，是个木匠，也是阿敏的赌博朋友，经常在尤家出入。前夜小牛又来约阿敏，阿敏向妻子要钱，想一起去赌钱。阿敏嫂拒绝，还劝告阿敏不要再赌，阿敏生气，咆哮了一顿，小牛当然也有气，以为也冲撞了自己，于是一起责骂阿敏嫂。"

霍桑问："果真如此？阿敏嫂曾反唇相骂吗？"

倪三摇头道："没有，阿敏嫂素来懦弱，只有暗暗哭泣。"

周巡官听到这里已经十分不耐烦，高声怒目，掸手斥责倪三。

周说道："罢了，何必节外生枝，照你所说，也不过是小牛一时气愤，尤敏的妻子既然没有反抗，又没有结怨，何至于杀了人再断头？你不要扰乱别人的思绪！"

倪三被责备，脸面泛红，想张口辩驳，霍桑急忙为他解围。

霍桑说道："周先生，你当然知道，侦查案件，重要的是广集事实，即使小事也不可忽略，何以反自己塞住耳目？"

周说道："我认为牵涉没有关系的人，反而会搞乱头绪。"

霍桑冷冷地说："照你意思有关系的人物除了尤敏没有其他的人了？"

巡官坚决地说道："当然如此。他早已自首，先生何必多疑。"

霍桑微笑，看着地下，手抚下颏，一时不说话。倪三怒目盯住巡官，深感不平，像要乘机反攻。

周巡官又大声道："霍先生，我早说过，这件事十分明显，也不必杀鸡用牛刀。尤敏的确是凶手，一开始便没有疑问。"

霍桑说道："是吗？不过这是一件无头的案子，非比寻常。尤敏即使自己承认，想结束案件，但死者的首级终不能没有着落，先生对这一点有什么解释吗？"霍桑的声调温婉中带着严冷，目光逼视着周巡官。

周略有犹豫，慢慢地说："这件案子的难题就是头找不到，据尤敏自供，杀死妻子后把死者的头藏在箱子里，我已经寻遍所有的箱子，没有找到。真难以解释。"

霍桑诧异地问："他自己说把头藏在箱子中的吗？奇怪！"

倪三此时乘机而入，冷冷地问巡官："周先生，刚才你搜查箱子时，看到血迹没有？如果有血迹，即使找不到头，至少也是证据呀。"

周巡官皱皱眉，说道："没有看见血迹。"

霍桑笑道："我早知道没有。如果我是你，就不必做无谓的搜查。"

巡官有点脸红地说："什么叫无谓？这是我分内的事，罪人自供，我怎可以不查？"

霍桑道："话虽不错，但必须审酌情理，若贸然去做，反是劳而无功。"

"怎样算审慎？这不是情理中的事吗？"

"我以为这是超乎情理的，所以说徒劳无功。"

"怎么解释？"周巡官脸色很不高兴，冷语问道。

霍桑道："杀死妻子还斩断她的头，残忍已极，仅是为了几个钱出此下策，于情理讲太突兀了。斩断了头，还把头藏在箱子里，岂不是滑稽？请问他把头藏在箱子里，有何用意？"

"谁能肯定他不是想灭迹？"

"将头颅藏起来，那么尸体怎样处理，他为什么顾此而失彼呢？"

"也许他酒醉后人事不清，一时匆忙，来不及把尸体掩藏起来。"

霍桑微笑道："那么先生搜查箱子，应该找到头呀！何以连血迹也找不到？"

周巡官不服，还要强辩："目前还不能武断地下结论。可能他藏好的人头被人拿去，所以一时找不到。

霍桑问："无论如何应该有血迹，对不对？"

周巡官说："他藏头时用东西或布块包裹，于是不留血迹。"

我在旁边听他们两人辩论，觉得周巡官的口才不错，有时虽然有点牵强，却仍是振振有词。幸亏他的职位不高，为害还算小，假若他是执法官，大权在握，是非曲直不明，真理颠倒，必然滥用职权，那么百姓的性命就不值半文钱了。

霍桑微笑，并不直接答复对方，只是说道："算了，我们来的本意是查访真相，现在争辩已久，还没有验过尸体，不要光说空话不做实事。"

周巡官说："尸体在后面房间，尚未移动，想等验察官来查验，我已经略检查过，并无特异之处。"

霍桑说："虽然这样，我依旧要察看一遍，说不定能找到些端倪。"

巡官说："也好，我可以引领。"说完他把刀放在桌子上，先返身走向内室。

内室很暗，只有窗户透进一线光，窗小而且高，光线还照不到地面，因此连地上陈列的无头尸体也看不见，我未踏进内室，心中先已构想一幅无头尸体的可怖图像。常常听见人们说，恐怖的意念是起于不明不知，就因为不知道，发生一种幻觉，而引起恐怖的本能。所以一切的古怪惨象都是由幻觉构成的，比实际目睹的还可怕几倍。我亲自体验，觉得这种说法确有道理。

巡官走过去，打开后门，内室就显得明亮豁朗。距离楼梯三四步外，明显可见一具女尸横卧在地，躯干向内，两只脚离开后门约一丈远。头已被割去，颈项内陷，与肩头一样齐，断处血液狼藉，地上的血迹已经凝结，叫人惨不忍睹。尸体穿的黑绉纱棉袄，看来很新，虽染有血迹，但仍显得相当洁净。袖口露出死者的手，皮肤极粗厚。

霍桑注视着尸体，一手托着下颏，神色像在寻思，一面问巡官："尸体未曾移动过吧？"

巡官还未回答，倪三自动先作答："没有错，我第一次看见就是这状态。"

周巡官说："我方才检查时就是这样子，检察官还没有来，谁也不敢随便移动。"

霍桑问倪三："你最初看见是什么时候？"

倪三说："我第一次来这里，天还没有亮透，不过听到凶讯还早一点，大约在子夜后三点左右，初起怕冷未曾立刻过来，等到破晓时分才来。"

"先生三点左右已经听到凶讯？"

"对！"

"谁向你报信？"

"是阿敏。他用力敲门，把我从睡梦中惊醒，听说阿敏嫂被杀，我不免大吃一惊。"

霍桑不讲话，低头凝思，前额的纹路显得很深。

巡官忽然惊呼道："唉，看呀，这岂非是谋财害命的证据吗？"

勘 验

我骤然间听到近乎命令式的惊呼，立刻回头注意，只见巡官用手指着尸身，张大了眼睛，像是被他意外地发觉了什么。

霍桑也回过头来，惊讶地问："你看到什么？是不是指手指上的婚约戒指？"

周巡官点头道："是的，这戒指是纯金无疑，但形状奇异，刚才我匆匆未曾注意。"说完，弯腰趋近观察。

我和霍桑也弯着腰细看。我看见死人左手无名指上戴着一只戒指，但是不像普通人戴在手指末节，却在第二节（从指尖往下数），指节上面的皮肤拉得很紧，确是有点特殊。

霍桑对我说："包朗，你看这枚结婚戒指，可真有点怪异！"

我点点头，不做评论。

霍桑又对巡官说道："确是奇怪，不过先生凭什么说是谋财害命？"

巡官说："先生没听见倪先生的话吗？昨天尤敏外出时，曾向妻子要钱做赌本，他出去一定是赌博，等到回家来，或者因输得精光，势必再来逼妻子拿出钱来。假设妻子始终拒绝，那么尤敏正当喝醉了酒，或者不幸生了凶念，举刀抢劫妻子，直至惨杀。这也是情势所应该有的，这种种推测通过这枚戒指就可以证明。你看戒指在第二节手指上，显见尤敏回家要她戒指，她不许，尤敏用武力劫取，因指骨粗，仓促之间戒指脱不下。这时妇人一定呼叫，或者用力挣扎，尤敏惊恐之余，于是惨杀了她。据我个人推测，这是证据之一，先生同意吗？"

霍桑点头道："先生测度得很对，不过着眼应注意大局，略有偏差，怕会误入歧途。"霍桑忽然对我投了一眼，仿佛告诉我他的语中另有含意。

起初，我不太了解，觉得霍桑的话有点含糊。平心说来，周巡官的话以前是有点牵强，而现在却是合情合理。霍桑既然无话可以驳斥，又不肯承认周巡官的话有理，莫不是也有"成见"两字从中作梗，因而感情用事？

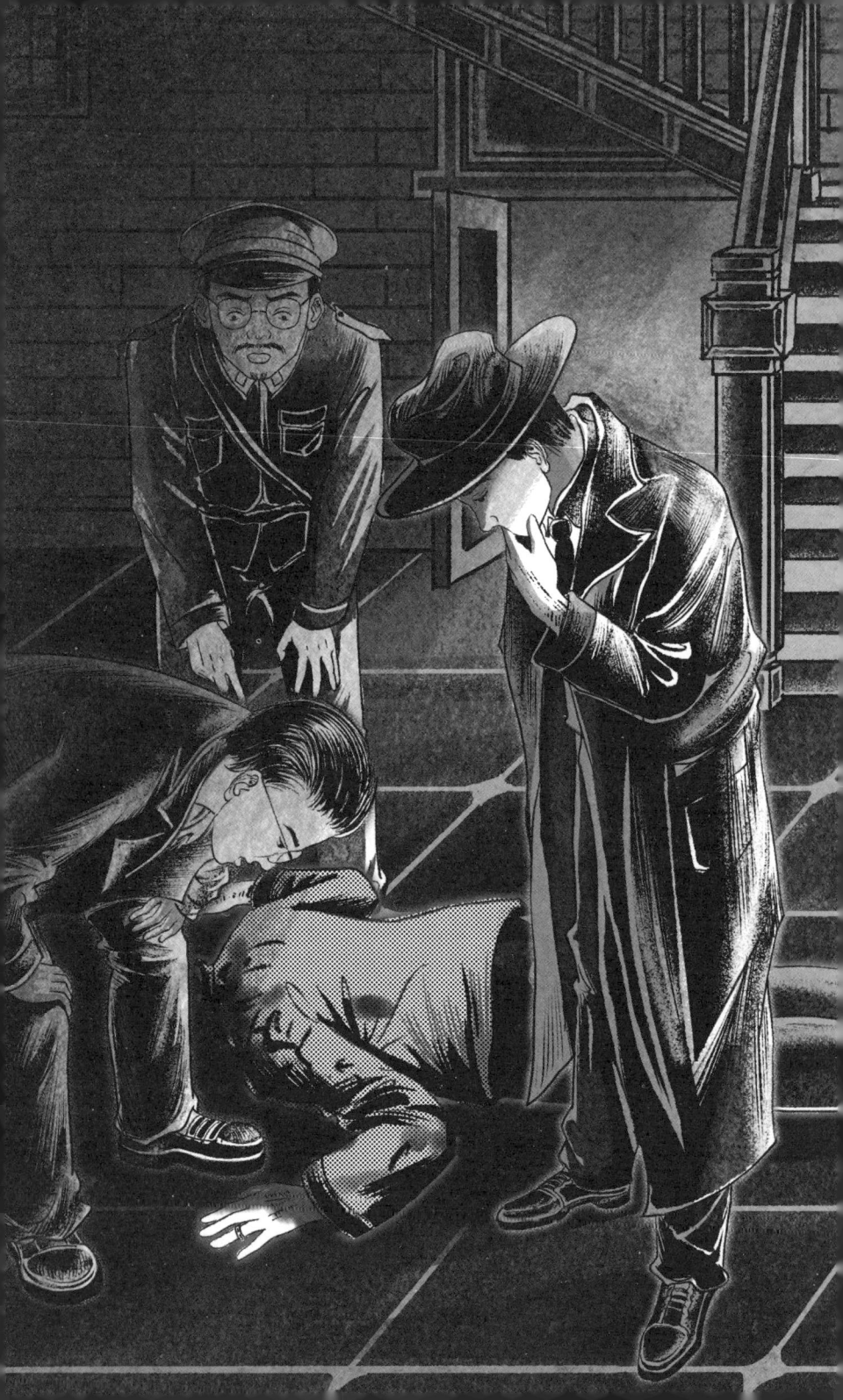

倪三也插嘴道："如果阿敏因抢戒指而行凶，行凶之后，势必依旧要拿走戒指，何以竟放弃不拿？"

巡官说："喝醉酒的人做事都不正常。杀人之后，心中绝对不能说没有恐惧。"

霍桑慢慢拿出放大镜，说："先生每逢碰到情节不合时，总推说因为喝醉酒，难道说，尤敏酒醉到现在还没有清醒？"

巡官皱眉，神色微怒："先生一直认为我不对而屡屡驳斥，想来必有超人的见解，不妨说来听听。"

霍桑正色道："我没有什么见解，只是认为整理乱丝而没有头绪，非但理不好，反而更见纷乱。先生对付这件案子不先查其主因，却从枝节着手，本末倒置，岂非无聊？所以我只能保持沉默。"

巡官生气道："先生所说的'本'究竟是指什么？恕我愚蠢，愿听你的高见！"

霍桑说道："这件案子关键是在人头，现在头没有下落，其他的事岂不都是枝节？"说完，他屈膝跪在尸体旁，细心观察，不再理会巡官的答话。

巡官的神情有点窘迫，想争辩又没有适当的词，就这样忍下去却又不太甘心。他叉手站立在那里，想找到机会反驳。我暗想，这个人自作聪明，成见很深，谁要是跟他共事，恐怕很难融洽。因此我未免为霍桑感到顾虑，看样子霍桑毫不在乎。他先抚摩死人的脚，再用放大镜仔细检验死人的衣领和断颈的血迹。

霍桑喃喃自语："看这凝结的血迹，妇人被杀，最少已经有十二个小时。"他仰头叫我："包朗，我的手表停了，现在几点钟。"

我看了一眼答道："十点三刻。"

霍桑问倪三："你知道昨夜尤敏什么时间回家？"

倪三说："我不知道，问问他的老母，不难知道。"

霍桑问道："平常他总是夜间出外？"

倪三说："不错。"

"他每天大约什么时间到家？"

"没有一定的时间，时早时晚，很难说。"

"那么夜晚他来报凶杀消息之前，你住在他的隔壁，曾听到什么声音没有？"

"未曾听到。"

霍桑点点头，不再问，又用放大镜细看死人的手指。手指上皮肤并不细腻，可见她平日勤劳做工。再验她的脚和尸体旁侧地上，看看有无留下脚印。地面是砖头砌的，高低不平，很难察验，何况已经有许多人出进，即使有足印，也难辨认。一会儿，霍桑站起来，拿出笔记本记录了一些数据，忽然他目光注视着地面，慢慢移向门外。

霍桑问道："这门外的空地，也有小径可通吗？"

倪三说道："有的，是一扇后门，门外面就是河岸了。"

霍桑听到这里，眉目间颇有得意神色，说道："有的吗？既然有小径可通，理应加以察验。"

忽然有呜咽的哭声从楼梯上传下来，原来是老妇走下楼来，她的外甥依旧扶恃在旁。老妇一面哭泣一面指着尸体：

"好苦的媳妇呀。这件黑绉纱的棉袄，你认为很合身，可是还没有穿上十天，想不到竟是送了你的终，你好薄命呀！"她看着霍桑说道："先生，我儿子最后会被杀头吗？"

霍桑安慰道："不会，不会，你不要担忧，你儿子不会被杀头，我可以向你保证。"

老妇张大眼睛诧异地说："先生真能担保？我儿子如能不死，我也活得下去了。"

我听老妇的话，深深体会到她跟儿子的舐犊之情，没有人及得上。然而对她媳妇，似乎感情并不真挚，这是什么道理？

霍桑答道："老婆婆，不要恐惧，你儿子一定不死，不过有几句话想问你，请你回答。"

老妇停止哭泣，用衣袖擦着眼睛点头说道："先生想问些什么？"

霍桑问："昨夜你儿子是几点钟回家？"

老妇说："这可不知道，因我已睡着了，究竟阿敏什么时间回家，我完全不知道。"

"那么他回家时一定有人为他开门，是不是媳妇每次为他开门？"

"不是的。门上有暗锁，阿敏出进，根本不需要人为他开门。"

"他出进是走前门还是走后门？"

"前门。"

"你儿子回家不需要人开门，那么你媳妇一定先自睡觉了。"

"这很难说，媳妇经常做夜工，有时直到深更半夜才停。阿敏通夜不回家，那么媳妇就先上床睡了。"

"你媳妇做什么工？"

"凡是缝纫绣花一类的工作都做。"

"她做工的收入，是作家用还是作自己的私房钱？"

老妇面上现出惭愧的神色，期期艾艾地说："我们一切开销都是她一个人做工维持，要是不够，只能变卖旧物来贴补。现在媳妇死于非命，家中旧物几乎典卖殆尽，今后我们母子不知道如何生活下去！"说完，不禁又哭起来。

这次她是为媳妇而哭泣，不过多半还是因为将来生活困难而着急，因此可怜起媳妇来了！

巡官说道："尤婆婆，我也有句话要问你。究竟你媳妇的头在哪里，请赶快告诉我！"

老妇张大了眼说道："我也是在疑惑，为什么不见头，如果我知道，怎敢藏起来不报告你们。"

巡官说"案子发生后，你有没有到楼上开箱子看过？"

老妇缓慢地说："我开过箱子，我因为……"

巡官突然瞪大眼睛急问："你为什么要去开箱子？老实告诉我。"

老妇被逼问，有些抖缩地说："我因为……我因为……"

巡官很快接下去说："你不是找死者的头才打开箱子看的吗？"

老妇急急说道："我不是因为找人头，头又怎么会在箱子里？"

巡官声色俱厉地说："你从实招来，不许说谎！"

老妇窘涩地说："我想媳妇既然已经死了，开箱子想找一找她有无私蓄，可以料理后事，并没有其他原因。"

霍桑问道："那么你发现些什么？"

老妇答道："没有什么，只有几件银首饰也不值钱，不过在第二只箱子中反而失掉了一件旧的青布棉袄。其他没有什么异常。"

霍桑还未开口，巡官便神色严厉地指着老妇说道："你不要谎话连篇，你开箱的主要原因，是怕你儿子把媳妇的头藏在箱子里还不妥当，于是把头移到别的地方。告诉我，你究竟把头藏在什么地方？不然，跟我到警察局去，我也不想跟你白费口舌。"

老妇一时面色变得灰白，两脚发抖，身体摇晃。她的外甥赶紧扶住她，并安慰道："姨母不要怕，若真有事要去警察局对质，我愿意代你去，你不必担忧。"

霍桑也安慰道："老婆婆听我的话，你儿子完全无罪，不到三天我一定使他从狱中出来，你先定下心来，不必恐惧。"

老妇果然平静下来，连连点头，热泪盈眶，所谓"喜极而泣"。

我听霍桑的话，不觉惊愕，他究竟凭什么这样自信，是否怕老妇再一次晕倒而有意安慰？因为刚才所说的话关系重大，不是随便可以说的，霍桑既然这样说，指尤敏无罪，巡官又将怎样表示？

霍桑不等巡官开口，转过身来说道："周先生，请听我说，老婆婆年纪很高，发生这件大事，实在担当不起惊悸，如果再加压力，她果真发疯，社会上多了个疯子，对事情也一无补助。先生是公仆，自然对百姓的性命十分重视，这样愚笨的策略，行不得也。"

巡官有些腼腆地说："话虽如此，但案迹都在，法律上应该加以追查，否则宝贵的时机丢失了又如何办？先生所说未免有点因噎废食了！"

霍桑微笑道："你说的固然有道理，但是如果目光不够敏锐，则所谓案迹云云也难免引入歧途。"

"对，先生说尤敏无罪，恐怕不是仅仅安慰老妇吧？先生果真有事实的根据吗？"

霍桑冷冷地说："我认为尤敏的确无罪，一开始他就无罪！"

巡官抗议道："尤敏无罪？那么谁是有罪？难道先生心目中指小牛是杀人真凶。"

霍桑神色严正说："我可以肯定杀妇人的凶手，另外有人，是不是小牛，现在还不知道，尤敏是被冤枉送进牢狱的！"

空场上的足印

霍桑生平是个有责任心的人。他常常说，一个人处世为人，必须守住三个要素，才能达到成功，才会有成就。三个要素就是学识、经验加上责任心。所以我的朋友待人接物讲究实际，从来不说空话。今日他在巡官面前发表的谈话如此坚定，他当然知道要负责任，难道说对这件无头案他已经有了独到的见解？

老妇听到霍桑的话后，高兴得全身发抖，含泪的眼睛注视着霍桑，流露出深深感激的神气，她外甥的脸上也有喜色。

只有巡官，背负着两只手挺胸而立，仿佛金刚一般，两目怒视。

巡官对霍桑说道："先生所说的一切可有证据？你可不要忘记，尤敏亲自招供，凶器也已找到，尤老太方又说过丢掉一件旧棉袄。棉袄失掉耐人寻味，可能用来包裹人头，现在一起被藏匿，所以一时找不到。果然如此，则证据确凿，并不是一句话可以完全推翻的。先生说话应该审慎一点！"

霍桑似乎讨厌他絮絮不休地说话，只简单回答说："多谢你的忠告，我讲的话，并非不负责任。请先生回去时告诉厅长，对这案件不要匆促解决，等我搜集证据，再移交定案。"

于是他看着我说道:"包朗,你来帮我验看一下后面的空地,或许可以增加你的阅历呢!"说完,回过身走向后门,左右观察,不再理会巡官。

我应霍桑的要求立刻走过去,乘机向巡官偷看一眼,只见他皱眉咬唇,形状很窘。

霍桑指着空地说道:"包朗,你仔细查看,这块空地和整个凶案有关系。"

这块空地有点像人家的后院,宽约两三丈,长度则加倍。院中有几个三足竹架,横靠着墙脚,多半像晒衣服用的。还有破桌旧板等物横倒在地上,像废弃已久了。除此以外,没有别的东西。只见满地覆盖着苍白色的野草,颜色惨淡,仿佛一个人的生机已尽,还有残骨留在人间。

我对朋友说道:"你的话指什么而言?我可看不出有什么关系。"

霍桑说道:"我所指的关系是在地上,现在可以试试你的目光。这条泥径小道上面岂不是许多足印吗?"

我低头观察,门外果然有一条小路,直通后门。大约三尺宽,两边全是枯草,但小路上没有。因为昨夜曾下过雨,泥路未干,所以走在上面的足印,显然可见。

霍桑领我走出后室,弯下身来细察近门处的脚印,指点我说:"这脚印显明而深,倒是很少见的。"

我说道:"真是天助你,假定昨夜无雨,就不容易辨别了。"

霍桑说:"对,现在我倒要考验一下你的观察力,你看这些脚印有什么特点没有?"

我凝视一会儿,惊讶地说:"脚印大小不同,恐怕还不止一个人呢!"我指出其中一个:"这个足印尖而短小,看来像是女人的脚印。"

霍桑说道："男女脚印果然辨别得出。我问你的是那些男人的脚印有没有异状？"

我再仔细观察，见脚印大约八寸长，头部有些偏斜，并不像普通人的那样平直。

我因此说道："这个脚印莫非是雨鞋的印子。"

霍桑从身上拿出软尺，一边慢慢地量男子的脚印，一边答道："你说得对，但还不完全。这种雨鞋不是下雨天人们一般穿的雨鞋，却是一种特殊的靴子。不过它留下的印子平圆，靴跟也不特别深，由此可知是一种新式的胶皮底鞋。"

我恍然明白说道："一点不错，普通的雨鞋鞋底一定坚厚，跟也比较高，印迹一定比较深，不像这种脚印浅而浑圆，对不对？"

霍桑点头道："对了，对了，现在你的观察和见解都大有进步。"霍桑又量鞋印之间的距离，再在日记簿上画出一张草图，记下尺寸。然后再量女子的脚印，照样画图写明尺寸，回头对我说："包朗，这是男子脚印，你能试验辨别，是出还是进？"

我说道："看得出，印子深一点儿的是进去，走出去的要浅，十分清楚可辨。你都量过中间的距离吗？噫！这女子的脚印也有进和出的分别，这是为什么？难道凶手还带一个女人一起来？"

霍桑说道："这一下你应该细细想想，现在先跟着脚印过去，看走到哪里，然后再加论断。"

我点点头，跟在霍桑后面，踏着枯草过去，走时十分审慎小心，不敢踏在泥径上，怕踏坏了脚印。

不久，我们走到后门边。霍桑停下来抬头仰视，我也停步。我看见围住这空地的是一道矮墙，墙皮已经剥落，没有剥落的地方已变成暗黑色。短墙上只有一扇门，就是尤家的后门。门有木闩，另有一长条的石块横卧在门的旁边，看来是用来堵门的。

霍桑指着门上的灰色痕迹对我说："这扇门应该是不常开启的。现在虚掩着，而且没有上门闩，岂不是证明昨夜曾有人出入过？"

我说："会不会因为有人要来检验，所以没有上闩？"

霍桑说："不见得，巡官方才自以为已经抓到凶手，凶案容易解决，我料他不会到这里来检查。"说完，把门拉开，忽然诧异地叫道："门口的脚印怎会如此杂乱？"

我走近视察，一点儿不错，脚印有横有纵，但全是男子的脚印，女的足印只见一两个。霍桑略一思索，伸头向里探望，再踮起足尖一手攀住墙垣向内观望；一会儿又低头细细辨认地上的脚印，像有所领悟。我瞧见门外就是河岸，岸上虽有小径可通，但野草把小径全都封住，平日一定行人稀少。离开河岸大约有一丈路是一条小河，河面上有船只来往。

霍桑忽然叫道："包朗，脚印失踪，找不到了。"

我回头只见霍桑站在岸边小径上，一时有点不知所措的样子，到处是野草，果然再也找不到脚印。

霍桑指着野草愤怒地说："侦探最讨厌是满地杂芜的野草，假若是青草坪，就容易见到脚印，现在就很难辨认。"

我说道："何不你我分开寻觅？你向东我向西，即使见到半个脚印也好，至少可知方向。"

霍桑说道："你能帮助我很好，不过十分费时，我想先到河那边去试一试，如果找不到脚印，再照你的计划进行。"

我点头答应。霍桑便弯腰朝河边走去，走一步看一看，十分细心。

一会儿他忽然惊呼道："这边草上发现有泥痕，是不是曾有人从这里走过？"

我也低头查验，初起看不到什么，好久才看见草堆上有泥痕，然而十分微细，如果霍桑不加指示，我决不能辨别。

霍桑走到水边，又发出惊讶声："呀！对了，凶手是从水路来的。包朗，你看这很深的小泥洼，岂不是脚印所造成的？"

我惊喜交集，往前细察，果真不错。

霍桑问我："你想想这脚印是怎样形成的？"

我静思一下，说道："我想这是男子的脚印，好像他离船的时候，用力往岸上一跳，因此不知不觉用力很猛。"

"说得有理，不过你还应做深一层的推敲……好了，我们既然获得线索，得益很多，现在回去吧！"

"你刚才判断凶手是从水道来的，是指那较深的男子的脚印吗？"

"是的，简单地说，印出这脚印的人，即是我理想中的凶手。"

"那么女子的脚印是谁呢？"

霍桑迟疑了一下说："对这一点我还不能确定，现在还难说。我们先回屋子，我要把脚印给巡官看，让他不再处在睡梦之中。"

我们走进后门，仍旧让它半开着，为了不致搞乱了脚印踏草回去。这时停尸体的室中老妇和倪三正坐着在谈话。外甥和巡官已经不在，询问之下，原来巡官已经回警察局，外甥去招呼亲戚来料理丧事，同时到死者的娘家去报丧。

原来死去的妇人姓王，她父亲名叫景绥，是苏州城里的富商。天亮时，老妇已请人去报信，至今还未见有人来，吩咐外甥再去传报。

霍桑问道："你死掉的媳妇跟娘家时常有往来吗？"

倪三说道："阿敏嫂性志高昂，她常因自己贫贱的缘故，从来不回娘家，怕有辱她父亲的门楣，但是她父亲经常差女用人送些东西来。"

老妇在旁说道："亲家王先生一向慷慨，待我媳妇很好。他知道我们生活困难，常常送钱送米来接济我们，或替媳妇添置新衣。近一年来，我们一家免于冻馁，一半是靠媳妇的针线女红收入，二半是靠亲家的帮忙。全靠媳妇十指做工，怎么能够维持一家三口的生活？"

霍桑说道："有这样的父亲，可说是不幸中的大幸，然而他的女儿绝迹不去娘家，未免有失礼仪。"

倪三说："这是尤嫂的性格，一年之中也不曾出过三次大门，可以知道她平日的行为了。"

霍桑说道："生前她认识很多人吗？"

老妇道："不多，除阿敏的朋友外，就是燕荪常常来我家。"

"谁是燕荪？"

"我的外甥，刚才扶我上楼的那个人。"

"你外甥跟媳妇的感情很好吗？"

"不是，我媳妇很少有朋友交往，除跟亲家送东西的那个女用人阿香外，很少跟别人做深谈。"

霍桑点头说："够了。不过有一点想请你告诉我，你方才说昨晚深夜时候你儿子将凶耗告诉你，所谓深夜，穷竟几点钟？"

老妇想了半天："我实在不能确定。"

"你儿子向你报信之前，你听到过什么声响？"

"没有，我吃完夜饭就睡，又睡得熟，直到阿敏叫醒我，所以睡觉后的经过情形，我完全不知道。"

霍桑说道："请你放心，不必自寻苦恼，我一定竭尽我的力量，希望在三日之内，让你儿子出狱回家，母子可以团聚。"

老妇喜悦地说道："先生的话若是实在，真是我的造化！但警官他们要是来逼迫我，该如何办？"

霍桑有点踌躇，随即拿出一张名片，用笔在上面写几个字，交给老婆婆："你不必怕，他们要是再来，把我的名片给他，相信不敢蛮横无理。现在我应该回家去，有什么消息，当再告诉你。"说完站起身向倪三告别，对他给予的种种指示表示感谢，然后招呼我一起离开。

倪三把我们送到门外，忽然在霍桑耳边细语。我站着等候，只听见他最后两句话："请先生小心，我看对方的表示，对你并不甘心认输。"

辩　证

我们回到寓所后，霍桑显得十分疲乏，卸下外面的大衣，就倒在椅子上休息。

霍桑喊道："施桂，给我倒茶来。"随即对我投了一眼："那姓周的真是不明事理，我跟他讲个没完，搞得口干舌燥，实在没有意思。"

我说："巡官所说的一切都十分勉强，我看这人的成见很深。"

霍桑道："一个人最要紧的是有自知之明，既然力所不及，何不虚心听听别人的正确意见，法律上的事就是应该十分谨慎。可是他却是顽固地坚持自己的成见，不辨虚实，只知道玩弄他锐利的舌锋，实在不能令人容忍。"

我点头道："这确是他的短处。可是你刚才理直气壮地驳斥他，很使他难堪。你有没有准备好?

霍桑笑道："对这件案子我大致已有把握，现在最重要是证实我的推理，这就是你所谓的准备。倪三对我说周巡官见恨于我，可能暗图报复。如果真是如此，那么因公事而变成私怨，实在太可笑!"

我说道："确是可笑，不过你也不可轻视。请问你对案子的确已经有了把握吗?"

施桂送茶进来，霍桑的话略作停顿，端起茶杯，一饮而尽，然后拿出香烟，递给我一支，我们各自点火吸烟。

霍桑又叫道："施桂，你叫金声赶快过来，我有事托他办理。"

施桂答应一声便走出去。

我问道："你招金声来干吗?"

霍桑说道："你还记得早些时我破获的一件夺嫡案吗? 若不是金声的帮忙，我怎能在三天之内破案? 你知道金声和他手下的伙伴都是我的耳目手足，有时非有他们的帮忙不可。他们对我的帮助不小呀!"

我点点头表示同意。金声这个人本来是个无业游民，懒惰不做工，仅凭他的敲诈手段来糊口，他手下一伙人，在社会上为非作歹，祸害不小。自从认识霍桑之后，霍桑晓以利害规劝他归正。日久，他逐渐认识自己的过错。霍桑借钱给他作资本，使他做个小贩，金声果然就就业业一反过去的为人。同伙中看到他这样做，也都跟着一起改邪为正。因此，金声十分感激我朋友。霍桑有时委托他在外边奔走刺探些什么事，他无不遵命而行。因为金声对社会中一切的情形，可以说"洞悉无遗"，所以很有帮助。霍桑初起不让他白白劳动，每次差他做事，总给予相当的报酬，金声干得更加积极。这次霍桑又召他来帮忙，不知有何差遣。

我又问道："你差金声做什么事？"

霍桑摇摇头："请你不要多问，过些时候，你当然会知道。时间不早，我已经肚腹咕咕出声，何不上饭店去进餐！"

我立刻跟他一起到饭店去，一边走一边自己思忖。自从尤家回来后，全无空暇，我对于案中情节虽然还有许多怀疑的地方，但没有得到解释的机会。从表面看，尤敏是值得怀疑，而霍桑却并不以为然。看他持续不断地驳斥周巡官，而且不留余地，仿佛对这件凶案已经胸有成竹。难道他果真已经知道杀人凶手是谁了吗？那人何以如此残忍，为色？为财？还是其他关系？霍桑果真有了眉目吗？照一切的情况看来，凶手杀死了妇人还把头切断，料必是有深怨宿恨。倪三提起的小牛有行凶的可能吗？案情委实复杂诡秘，要查明真相，岂是容易？还有一点，人头不见，找寻困难，凶手为什么要把头藏匿起来？叫人百思不得其解。这种种的疑点，都有待于解决。本来我以为回到寓所之后，可以一桩一桩请霍桑解释。想不到一到门口，施桂已经站在那里，他说有人在客室等候我们，没有找到金声。我们进去，不觉一惊，坐在客室里等候的不是别人，而是一个穿制服的警察。他见到霍桑，立刻站起来敬礼，拿出一张名片，说所长有事要当面商量！请立刻动身。

霍桑微笑对我说："这是周某的报复策略。"

我问道："该怎么办，你有方法应付吗？"

霍桑说："我为什么怕见他？现在要见所长还不到时候，但是不去则表示我的虚弱，势必要走一趟。你也愿意和我一起去吗？"

我答道："可以！"

霍桑略作收拾，就带我跟着警察出发。到达警察局，霍桑对领路的警察讲了几句话，回过身来对我说："你不妨等一等，我去一下就来，然后和你一同去见所长。"

我点点头，一位门警把我引到会客室，大约坐了十分钟，霍桑果真回来，对我说曾经进去见过尤敏，不便多谈，但是却把他的鞋子跟草图合比了一下，脚印不是尤敏的。我们两人坐着相对无语，等候所长的接见，那位请我们到警察局的警士已经进去复命通报。

一会儿，我们就进去见了所长。所长姓闵名煜，最近才从浙江省调任过来。过去我们曾见过一面，所以不太陌生。

所长问道："霍先生，听周巡官的报告，先生对于尤家的凶案，已经亲自查验，而且十分注意，对不对？"

霍桑对我投了一瞥，示意他所猜测的完全不错。我觉得那周巡官胸量实在太狭。

霍桑回答说："不错，早晨就与朋友曾一起去观察过。"于是把老妇恳请我们去的详情报告出来。

所长说道："根据周巡官的报告，这件案子本来可以了结，独有先生却和他意见相反。不知有何高见？按照先生的鼎鼎大名，出言当然十分重要。现在有相反之判断，这案子自然不能就结束，愿听先生的高见。"

霍桑缓慢地说道："鄙人跟周巡官的观察不相同，事实确是如此，所长若只谈这些，我自然可以加以说明，如果想进一步了解，请给我几天时间，那时或可以答复，现在我还不能谈。"

所长道："那今天就请你把不同的观点说一说。"

霍桑答道："可以。我跟周巡官争论的焦点，就是尤敏究竟是不是真凶。现在我说明自己的见解。我肯定尤敏不是真凶，理由不只是一点。尤敏虽然是纵酒好赌的无业游民，若说仅仅为了钱的缘故杀妻，至少也应该有充分的证据，周巡官用金戒指为证，实在太草率，是没有细心检查的结果。这枚戒指究竟什么情形，所长如果能亲自去观察一番，一定也会驳斥他的错误观点。这是第一可疑之处。"

所长不说话，我看他神色似乎对霍桑有点佩服。霍桑停顿一下，再继续说道："照常情讲，杀人重要的证据是凶器，尤敏自供的杀人刀上竟一滴血迹也没有，我认为这把刀不是凶器。这是第二可疑之处。"

所长点头说道："我也看到这柄利刀，的确没有血迹。"

霍桑再说下去："除此两点外，还有更大的疑问，即死人的头不见了。杀人之后再斩下头颅，夫妇之情，绝对做不出，而且将断头藏匿起来，更是令人不可理解。说他是畏罪灭迹吧，何以不同时把尸体一起藏起来？说他是遮盖真实情形而想脱罪，何以不把尸体丢到荒郊，或掘土掩埋，那样不是更直截了当？假若想逃罪，而又拿不出办法，必然出逃了事。现在案件发生在什么时刻虽然不能确定，但大致可以肯定多半是在深夜十二点左右。尤敏如果杀死妻子而又怕定罪，这时候静悄悄地潜逃远方，时间上绰绰有余。他为什么不出此一着，反报警自首，等待被人逮捕？这人尽管是愚蠢之极至于此？从上面种种情况看，我敢断定，尤敏绝不是杀人的凶手。"

我听霍桑的叙述，觉得情节完全合理。尤敏并未杀妻，是毫无疑问的了。不过一转念头，又有了疑问。究竟谁是杀人凶手？是小牛？还是有其他人？霍桑能直率说出来吗？

所长说道："照先生所说，此中情节清楚透彻，尤敏好像确实无辜。可是他为什么要自己招供呢？"

霍桑说道："供词是否能做凭证，还得看取供的方式如何，古语说'三木之下，何求不得'①？况且证据既不符合，虽然招供，有什么好处呢？所长当然明察到这点。"

所长低头，默默不语，神色有些惭愧，一会儿，又抬起头来，说道："先生高论十分中肯，尤敏既然未曾杀妻，定然有别人杀妇，先生有什么意见？"

霍桑立刻答道："有的，就像方才我所说的，此刻我仅有一个大概想法，还没有具体的见解。抱歉，现在还不能奉告。"

所长说："我明白。不过先生所说的大概，是否可以说来听听？"

霍桑略等一下，说道："这样也好。让我试说一下自己的猜想。我知道，杀死妇人的凶手，一定是个年轻力强的男子，身材高大，高度大约在五尺八寸，穿新式的橡皮胶底靴，跟普通的皮鞋不同，好像是常穿西服。至于他出入的路径，我分析他必定走的是水路。"

所长说道："先生能观测到这种地步，足见着眼的精细了，然而先生凭着什么，才能洞悉这样许多的详情？"

霍桑说道："我是通过测量脚印而知道的。足印长十一寸，每一步的距离是三尺开外，可知这人身材必定高大。同时脚印

---

① 谚语，"三木"指刑具，意思是说严刑之下必得供词。

有深浅不同，好像这个人拿着沉重的东西，而脚印只有一个男人。这样的凶杀，而且是一人干的，足见他胆壮力大。至于其他的情节，还得有待去探索。现在，除非让死妇活转来再查问，我恐怕无人能向所长说清楚。"

所长点点头说："我今天听到先生高论，心愿已足。先生既然能测查到此地步，其他或许也不难循迹推索。今后这件案子就委托先生负责办理，先生能不推却吗？"

霍桑听到这里，低头并没有立刻回答。我观察他的态度，似乎有些心神不安。所长竟然把侦查的责任交给霍桑，他果真接受吗？还是加以拒绝？接受下来又不易着手，拒绝则没有适当的措辞，这确是一个难以解决的题目。

一会儿，霍桑抬头答应道："承蒙所长委托，岂敢不尽力去办。不过要请周巡官不要暗中阻挡，期限也不能预定，使我能从容查究。"

所长大为喜悦："先生肯允诺负责，我当然遵命，如有什么地方需要帮忙，请随时随地告诉我。"

霍桑点点头，站起身来道别，所长恭恭敬敬送到门外。这次到这里来之前曾有遭谴责的顾虑，不料反受到有礼貌的委托，实在是我们的意料之外。

走到外边，我低声问霍桑："你允许负责侦查，究竟你能愉快胜任吗？"

霍桑笑道："包朗，你真是忠厚，何必要如此问我？要知道世界上的事情变化多端，现在事情还没有着手进行，怎么可以先有自满的想法？现在我心中有的只是单纯的猜想，只有努力去干，是否胜任，我怎敢逆料！"

我不再多问。我素来了解朋友的性格，每逢处理一件案子，最不欢喜我查究，问长问短，如果勉强他，他反而要把事情描绘得骇人所闻，使我日夜不安。其实我知道他早已胸有成竹，定要等到破案之后，才肯宣布，我只能耐心等待。

耳　环

这大晚上我和霍桑吃完晚饭，两人一起围着炉子取暖。白天天气阴暗，夜间更加觉得寒冷，加上外面西北风呼啸，窗子震动得格格出声。我们围坐在火炉边吸烟，等候金声。金声第一次来时，刚好我们到警察局去。因此他约定晚上再来。

八点钟左右，金声果然依约到来。霍桑让他坐下，递了一支烟给他。

霍桑笑着说道："金声，你怎么又来迟了，难道又去参加酒会吗？"

金声说道："没有，我自从戒酒后，点滴不入，今夜去看了一位事先约好的朋友，商量一件事，一时走不开。"

霍桑问道："商量些什么事，你又是去做评判人？"

金声说道："一点儿不错，朋友们一定要我去，不便推辞。商量的事是因为有个商人偷偷出卖劣货，违反当日我们的誓言，所以要公议给予处罚。先生叫我来，有什么吩咐？"

"有件事想托你，大概只要你一天的时间就可以办完。"

"这件事我一个人做得了吗？是否还要朋友们出力帮忙？"

"你一个人足够，事情很简单，不过要你稍稍奔走一下。第一，你要去马桥附近打听一下尤家的媳妇生前是否规矩贞节。我想尤家的凶杀案，你总听到了吧？"

"对，这件案子已经是满城风雨，老少皆知，先生正在侦查这件无头案吗？"

霍桑点头道："对，我对这位妇人平时行为已经多少有点端倪。还得要你去打听一下，以便得到旁证。"

金声说道："做这种事我最有办法，明天早晨就给你回报。还有别的事吗？"

霍桑沉思了一下说道："你可知道本城有几处出租船只的船厂？"

金声说道："这一点需要先调查。船厂只出租船只而没有摇船的人，若是人船兼租的，那么城河中有一种散船。"

"我懂，如今我要调查的是船厂，你到各船厂查问一下，昨夜有没有人租船过夜？假定有，希望你立刻来告诉我，不然，我要另找别的路径进行调查了。"

"可以，今天是十一月十九日。我明天去查访，就该查十八日晚上的事。"

"不错。不过你千万要小心缜密见机行事，可不能坏了我的事。"

金声答应，随即离去。

等他走后，我问霍桑道："你所以要到船厂去探询，是想借此追踪凶手吗？"

霍桑说："是呀！我的意思，如果凶手并非从外乡来的，一定不出我的意料，船厂是唯一的线索了。"

"然而，假使凶手来的时候是雇用河里的客船，金声就免不了徒劳无功。"

"你说得固然有理，不过依我看来，未必是这样。"

"你确知凶千不是在近处雇用散船而是到船厂去租船？"

"对，我想是这样的。"

"能说说清楚吗？"

霍桑犹豫一下，说道："你可不要紧逼我。总之我觉得，船厂去租船更符合他的需要。"

霍桑说完低头沉思，我也不便追问，就改变话题。

我说道："刚才你说关于死妇的贞操已经有了端倪，她果然是个有贞操的妇女吗？"

霍桑说："这些都是根据倪三的报告。他不是说王氏终年不出门，认识的人很少。如果倪三的话可信，她应该是个贞洁的女子。不过我对这一方面还得深入探索。明天要去访问她父亲，可能获得更多的详情。因为妇人的品行与这件案子很有关系。我要寻求真确的事实，不能不从各方面加以考虑和观察。"

我问道："那么小牛，还有阿敏其他的朋友，外甥燕荪，也须要查问呀！"

霍桑沉吟说道："对，不过这些人都比较空泛，我并不急于查问，我以为先查明凶手的来踪去迹，或者比较快捷一些。"

我沉思一下，又问道："妇人的父亲王景绥，听起来名字很熟，你听见过这名字没有？"

霍桑道："听到过，他是个米商，住在枣市。明天我要去看他，往返很花时间，所以不能不让金声分担探访的工作。"

次日清晨，天气晴朗，但更觉寒冷。霍桑却兴致勃勃，吃完早餐独自一个人去枣市。我因为路太远，没有去。大约十点半钟，金声来家说，调查了几处地方，已获得了实情。死者嫁尤敏已经四年，从未听到她有不规矩的行为，实在是个贞洁的女人。然后金声又出去，说是去各船厂打听。

我默想妇人既是个贞洁的女子，这跟倪三所说的话相符合。那么妇人的死究竟是什么原因？实在索解不得。照一般的常理看，发生罪案的主要原因，不外是"财色"两字。因为钱财是一切物质的代表，也是维持生命的要素。色是男女交配，延续生命的本能，芸芸众生，都靠其生存。尤妇并不富有，不会因金钱镣铐引出祸害，若不为情孽，怎会有此深怨？但她似乎是个贞洁娴静的女子，依此揣测，又是格格不入。实在令人想不通。

中午时分，霍桑还没有回来，我只能独自进餐。吃完饭，觉得无聊，坐下来写日记消遣。忽然听到急促的敲门声，我以为霍桑回家，想不到却是一个警察，手中拿着一封信，要见霍桑。我告诉他霍桑出外，书信可以留下来。

警察把信交给我，说道："你就是包朗先生？我是所长派来送信的。霍先生不在，也可以交给先生你。"

我把信接过来，看着信封诧异地问："是谁写来的？"

警察道："信是邮局寄来的。所长认为事关重要，立即转上。"说完，向我要了一张名片离去。

我细看信封，上面收信人是"警察局"但无寄信人名字。我不明白这信是怎样来的，细细观察，信已被拆过，是重新封的。信的分量很重，除信笺外好像还有其他物品，我好奇地用手抚摸，仿佛里面有两枚细丝圈，像是女子的耳环。我格外惊疑，想拆开阅读，但这信是属于霍桑的，我无权擅自拆读，不如坐等霍桑回来再说。如此又过了一小时，霍桑仍未回来，我有点不耐烦了，就把信拆开，我的举动有些越出本分，但相信霍桑也能原谅。信封被拆开，里面果然有一对耳环，附了一封短信，上面是有力的草书：

信的大意如此：

姓王的妇人，是我杀死的。妇人没有罪，罪孽在她的父亲。因父亲的罪而杀他女儿来抵偿，论情理有点牵强，然而为报仇我已等待三年，无隙可乘，不得已而出此下策，以消我心头之恨。妇人头颅已带回，用来祭我已死父亲之灵。如今我了却心愿，自当远行。因此写这短简，顺便附上耳环一对。大丈夫做事光明磊落，不愿连累别人无辜受罪。

报仇人临行留笔

我读到这里，不禁惊喜交集。高兴我朋友的推理没有错，凶手不是尤敏而是别人，这是千真万确的凭证。惊异的是这件凶案出自报仇，情节十分诡异。读信中语气，这人似乎已经远走高飞，再要缉拿岂非困难？我不禁为霍桑担忧。看邮局的邮戳，是十一月十九日十六时，凶手在作案的第二天把信和耳环一起邮寄的。照情势看已经相隔一天多时间，当然他已经雁飞天涯了。我细看耳环，完全是赤金，环上还有血迹，使人想象得出断颈时的惨状，我感到恐惧。接着把耳环放回到信封里，忽然听到门外马铃声琅——霍桑果然踉跄地奔进来。

我对他看了一眼，问道："看你神气相当疲累，有什么收获？"

霍桑把外衣脱下，坐下来答道："忙碌了半天，获得不多。金声来过吗？有没有征兆？"

我把一切报告给他听，关于死者是个贞洁的女子，霍桑点头表示同意。

我再把信拿出来说道："这封信是警厅送过来的。我认为有点可疑，已代为拆开，希望你不见怪。"

霍桑看看耳环，再读完信，诧异地说："奇怪，这东西实在是出人意料。"

"这封信对你是否有帮助？"

"怎么能说无用？对我大有帮助。"

"为什么？能告诉我吗？"

霍桑凝思一下，说道："这信的确是凶手留的，倒是个知识分子，而且尤家并不熟识，因此笔迹出自凶手自己，一点儿没有加以掩遮。"

"那么并不是燕荪了。"

"不错，更不用说是小牛。"

"你有把握能抓到这个人？"

霍桑踌躇了一下说道："我现在就是在等金声的消息。"

半晌，我再问道："信中所提一切都正确吗？"

霍桑皱皱眉："据我所知，王景绥这个人，有钱但非常缺德。"他沉吟了一下，忽然高兴地说道："好极了，这封信完全解决了我的疑虑。"

我被搞得莫名其妙，问道："什么意思？"

霍桑说道："初起我有点担忧，凶案发生已过两天，我还不能着手抓捕凶手，就怕他乘隙逃走，带来了缉捕的困难。现在可不用担忧了。"

我大为奇怪。我本来担忧此刻凶手已经逃之夭夭，远走高飞，而霍桑反觉得安慰。我们的想法完全相反，实在不可理解。

我因此问道："老兄你见到什么而如此放心？他信上不是写明在他动身远行之前留笔的吗？如果这样，这个人早已离开苏州了，你怎么反说不用担忧？"

霍桑笑道："包朗，你被他愚弄了！你该知道他信上特意写远行，实际上正告诉我们他并没有离开。不然他要是畏罪逃逸，心中惊魂不定，还能坐停从容写信通知？他故意如此做，是有意转移我们的注意，迷糊我们的目光，使侦探者迷失方向，他就可以逍遥法外。"

我默默听着不发表意见。

霍桑又笑道："如果你不相信我的话，请听我后面的解释。"

"你的说法有根据吗？"

"当然有啦！你注意看一看，这封信是寄在第二邮局，第二邮局是在胥门内区，那边没有轮船码头也没有火车站，可以想象并不是他在远行前投寄的。按常情来说，凶手还没有离开凶案地点，不会坦然无惧。他即使要寄信，也一定在他离开苏州的最后一分钟投寄，并且一定是投在轮船码头或者是火车站附近的邮筒里。再说，凶手决意要逃走，当然是愈快愈妙。这信发出的时间是昨天下午。你想想看，犯案已经整整一天，还逗留着没有离开，因此可知他本来就没有逃避的计划。分析这两点，我断定他是有意告诉你远行，其实并不远行，你觉得我分析得有根据吗？"

我微笑答道："一点儿不错，凡是你所说的话，都是有根有据，你实在善于辞令呀！"

霍桑说道："你不责怪自己判事欠细心，反称我善于辞令，你太调皮！包朗，算了，我想休息一下，不愿再跟你做空虚的辩论！"

我笑着答谢："我认错。不过这件凶案究竟进行得如何，你能多少给我些纲要吗？"

霍桑嘴里衔着纸烟，慢慢吸着，久久不回答。我再想询问，他仰起身来："请你安静些！这件案子的进行，我正在等候一个人的报告，等拿到报告再定计划……呀，这人到了！"

果真不错，外面听到叩门的声响，我们一起等来人进门。

怪 客

我知道这次霍桑所期待的人一定是金声而不是旁人。等到此人进来，果然是金声。金声是个体格魁梧的人，健于步行，走进时只见他满头大汗，气喘咻咻，可知他十分辛劳。霍桑急忙请他坐下，再给他送茶。一会儿，金声的喘息渐渐地平静下来。

霍桑问道："抱歉，害你辛苦了。初起因为我毫无头绪，因此要你到六城门去奔走，若是现在，就不需要这样做了，我相信你一定此行不虚！"

金声道："这里的船厂，我全都打听过。一共有四家似乎跟先生的事情有点关系。"

霍桑扬眉道："好极了，不妨说来听听！"

金声道："第一家名叫洪源厂，据说十八日下午有人借租一艘大船，直到今天早晨才归还。第二家名叫老仁记，前天傍晚租出一条船，要租七天。第三家船厂名叫涌泰船厂，十八日曾租出一船，昨天早晨归还。第四——"

霍桑忽然插口道："等一等，那第三家涌泰厂十八日晚上租出的那条船，有没有确切的时间？你问过没有？"

金声道："问过，大约十点钟之后，船厂已经关门，因租船的人是近邻，情面难却，才允许出租。"

霍桑忽然喜悦地说："近邻？对了，这家涌泰厂不就是在胥门附近？"

金声点头说:"不错,在胥门外万年桥旁边。先生怎会知道?"

霍桑看住我说道:"我是推想而知的,你有没有查问租船人的姓名?"

金声道:"没有,当初我没有特别注意,因此没有查问租船人是谁,糟糕!"

"没有关系,我会有办法查出。我还要问你一句,船厂是否又租借出去了?"

"初起我没有问,不过经手人向我偶尔提起,这条船又租给别人了。"

霍桑眉毛紧锁,说道:"不幸极了!不然我就能去看一下,肯定得益匪浅。"说完,站起身来说:"金声,你先休息一下,我现在去涌泰船厂走一趟,查问租船的人究竟是谁!"

金声道:"现在已经四点钟,一来一往,你回来天都要黑了。"

我也接口道:"你何必如此急?等明早去也不迟!"

我说话间,霍桑已经拿出大衣,一边穿衣一边回答:"不能迟缓,不然事情就有变化。我走了。"霍桑刻不容缓地掉头走了出去。

我目送他走出去,对金声说道:"我看他如此急不待缓,匆匆赶去,一定是疑问有了解决办法,但愿他这次去船厂不虚此行。"

金声问道:"霍先生疑惑些什么?难道疑心租船的人与凶手有关系?"

我对答道:"照我测度,岂止有关系,他简直怀疑这个人便是凶手!"

金声不免震惊，立刻问道："是吗？有何根据？"

我说道："他从所获得的脚印来测度，凶手是从水路到尤家去的。水路需要用船，所以他疑心租船的家伙就是凶手。"

金声慢慢地说道："但是，这还不能够算是确凿的证据。因为租船的人，随时随地都有，霍先生怎知道他就是自己所怀疑的凶手？"

我解释道："其他还有两种证据。一是时间，那人是十点钟去租船，那么十一点半抵达尤家，十二点行凶，分析案情，十分符合；二是地址，凶手犯罪之后曾寄出一信，信上邮戳是第二邮局，二局属于胥门，而此人就住在万年桥畔，地点又很相近。如此种种，我的老朋友疑心他是凶手。"

金声不停地点头："依此看来，离破案很近了。先生你知道这件凶案的主要原因是什么？是不是牵涉到男女暧昧的事情？"

我说道："按情形讲，总是这类事情。你不是调查过，那妇女先前还贞洁，霍桑对这方面也没有什么话。如果是这样，那么好像又有矛盾。凶手写来的信上自称完全是为了报仇，我就不知道他说的话是否确实。"我再把凶手来信的情形简单地告诉金声。

金声问道："照先生的眼光测度，这一点是否可信？"

"我不敢下断言。霍桑告诉我，死者的父亲很有钱，但德性不好，在外边结怨是难免的事。凶手无隙可乘，于是杀女儿来发泄愤恨，在情理中极有可能。"

"不过，女儿已经嫁人，跟她父亲关系很远。此人把她杀害，非但不合情理，而且十分无聊。"

"你讲得很有道理，不过她父亲对女儿仍旧十分疼爱。女婿家境贫穷，而她父亲时时给予赠送，可见父与女感情深厚。

若是如此，凶手看清这一点，因此有意杀死爱女，作为间接的报复。"

金声点头道："根据这个论点，先生所观察的已近目标。但愿霍先生此行不虚，那么水落石出，案破的时间就不远了！"说完，便起立告别。

我看手表已近五点钟，猜度霍桑应该到达目的地了。然而探查需要时间，一时当然不能回寓。我戴帽出外，借此放松一下。到了城门口，见有一间小茶馆，许多人交头接耳正在议论，他们所谈的不外乎尤家的凶案。间或听到有人提到霍桑的名字，大家都很钦佩。因为当天报纸上已经刊出有关这件凶案的报道。我略停顿了一会儿，从他们的话中得到了一两件意外的情报，有的说妇人的尸体已经入殓；也有的说检察官认为凶手另有其人，尤敏仅仅处在嫌疑地位而已。

我听到这些，暗暗为我朋友高兴。经过此次证明，更加见到霍桑的确是广见识多，信用好，对将来探案很有帮助。另有一着霍桑没有注意到的是尤敏的朋友小牛，以及另一位名叫小麻子的人，都因嫌疑，被警察局拘留起来。倪三和燕荪也被传询查问。周巡官像是已感到错误，改弦更张，不敢再指斥为枝节了。众人议论纷纷，又说凶案发生后，死者的父亲王景绥家中没有一个人去吊丧，即使平时经常来往的阿香也没有去过。不知其中有没有别的缘故，或许这只是闲人的瞎说，完全是道听途说得来的传闻，并非事实，我实在不得而知了。

我随即登上城墙，又步上城台，背着手向西站立了一会儿。遥遥看到夕阳西斜，云彩呈现着火红色，仿佛刚出洪炉的烧红的铜锣一般，景色实在美丽！火球逐渐沉落下去，乌鸦一群一群飞向树林，一边飞翔一边还发出哑哑的鸣叫声，似乎告诉人们一天的工作完毕，应该回家歇息。一会儿，夜色已经横空，远远村落的烟囱里冒着烟雾。瞭望着远远天平山和灵岩山的峰巅，晚霞笼罩，若隐若现，真像海上神秘的山峰，令人心旷神怡，充满了美感。

我站在城台上眺望了半晌，再缓步走回寓所，刚到门口，望见施桂站在门边。

我随口问道："霍先生回家没有？"

施桂摇摇头："还没有，我就在等他回家。"

我想现在已近六点钟，照理霍桑也该回来，此刻迟迟不归，可能事情已经有了眉目？

我走进屋子，施桂也跟进来。

施桂对我说："自从先生外出后，有一位穿西装的客人来请霍先生。我问他要一张名片，他不肯给我，也不肯直说姓名叫什么，形态有点古怪。"

我问："是吗？他是怎么样的一个人？"

"是个高个子的青年，穿深颜色的西装，但脸色看来有点憔悴，眼睛深凹有点可怖的神色。"

"不知道这是什么人？……你问过他为何来找先生？"

"我当然问过，他既不愿宣布自己的姓名，怎么还肯说明来意？"

我觉得十分诧异，又问道："然而凭你的观察，你知道他是为什么事而来的？"

施桂踌躇一下，说道："我不能确定。他初见到我就问霍桑，听见霍桑外出，他的神色显出十分失望的样子，呆立在石级上，犹像了一下，就立刻掉头离去，所以我觉得他的行动很奇怪。"

我推想不出究竟他是什么人，只能等我朋友回家再说。可是直到晚饭时分，还不见霍桑的影子，因此我独自先进晚餐，餐后，寂寞地坐着等霍桑回来。忽然，有人焦急地敲门，我猜一定是霍桑回来了。施桂过去开门，马上又跑进来对我说："先生，你出来看，刚才那个怪客又来了。"说完又奔出去。

我诧异地来不及思考，急急忙忙地走出去。到了门口，张目外望，却不见人影，再走出去，左右张望，夜色沉寂，同样找不到人。那时路灯暗淡，光线照射不远，所以十码以外的事物已经看不清楚，假定有人，也是很难辨别。

施桂叫起来："奇怪，客人难道又悄然地走掉了吗？"

那时路灯下面有一个跛脚的乞丐，从我们面前走过。我对他注视了一下，并没发现有什么异样。我和施桂便回到屋里。

我问道："这个怪客是不是刚才来找霍桑的人？"

施桂道："对，这次来，他依旧问起霍先生。我答复他霍先生还没有归来，不过包朗先生在家，有什么事可以和包先生接洽。他听到我的话，不停地摇头，似乎不想见其他什么人，立刻回身要走，等我进来请先生，他又乘机走掉了。"

我说道："实在奇怪，他究竟有什么事？看来，他可能还会再来。施桂，这一下你可小心，见到他，想法把他留住，我要亲自观察一下，究竟他是什么人？"

施桂点头离去，我独自一个人推敲，这怪客一次次来访究竟为了什么？是心中有隐秘的苦衷，要委托霍桑处理吗？还是他不怀好意，想加害于霍桑？照情势看，两种可能性中必有一种是对的。否则他见不到霍桑，尽可以进来见我。何必行动如此诡秘？我想了半天，愈想愈觉得疑惑，可是猜不定来客是什么用意。我只能静坐抽烟，等待他第三次再来，当面查究他的底细。

我刚点燃了一支纸烟，忽然又听见外面门上咚咚有声。施桂赶快奔出去，我也立刻正襟起立，心想不知来客是谁，会不会是怪客又做第三次来访。

头

我正想奔出去，忽然看见一人已经匆匆进来，才知道自己的预料是错误的，因为进来的不是怪客而是霍桑。

我站下，说道："呀，你回来了，为什么搞得这么迟？"

霍桑看到我的样子，注视一眼反问我道："你碰到了什么，要如此大惊小怪？"

我说道："我等得很久，你迟迟不回来，刚才有个怪客来找你。"

霍桑问："你说什么？谁是怪客？"他一边说话，一边脱下衣帽，在有软垫的藤椅上坐下来，灯光之下，他的脸面显得十分疲乏。

我也坐下来，把怪客两次来访的事告诉他。霍桑思索了一下，似乎并不认为奇怪。

霍桑泰然地说："这是平常事，不值得为此惊怪。你该知道，凡是上门找我的人，多半是有灾难，或者有隐秘的事，不能随便对人宣布，于是行踪见得有点诡秘，举动离奇。这个人的来访也不外乎这种性质。不过一波未平，一波又起，打乱了我的思维，我希望此人不再第三次来访。"

我听到这一番议论，仿佛是酷热天嚼冰块，刚才一切的热望，立刻化为乌有。我本来认为霍桑听到此事一定不会无动于衷，根据这些迹象推索，疑问或能得到解释。现在霍桑既然专心注重在一件案子，没有空照顾到别的事，我的期望只能落了空。

一会儿，我问道："你吃过晚饭没有？"

霍桑点点头说："吃过了。"

"案件有眉目了吗？"

"大体上已经有了，不过还需要等最后的进展，可能明天要麻烦老兄走一趟，帮助我圆满成功。"

"你预计明天可以完全成功？"

"我是这样计划的，究竟能否完成，也不能绝对肯定，但是老兄能助我一臂之力吗？"

"当然，我自当追随在先生之后。"

"你得独自去干，行不行？"

"当然，我一定尽最大的努力！"

"不管怎样困难艰巨，你也不推辞吗？"

"只要我力所能及，还有什么不可以的？"

"好极！这件事非有你的负责帮助不可，你既然允许，我心中得到安慰不少。"

"请问是什么事？"

"包朗，对不起，我已经非常疲劳，应该立刻上床睡觉。案情进行的一切步骤，你明天一定会明白，今夜也不可能三言两语就讲得完！"

我心中很不自在，但也只能沉默。本来我想询问一下，解决心中的疑团，却被他一口拒绝。是他早已看透了我的心思此刻有意冷落我一下？还是案中情由还没有完全弄清楚，还得等待一下？

霍桑站起身来，伸了个懒腰说道："包朗，我侦查这件无头案，忙忙碌碌已经有两天，假若明天果真能解决，那么尤敏关在牢狱不到三日就可释放，至少我对尤婆婆并没有食言。"

我说道："要是明天这个时候，全案可以了结，那么老兄不再会守口如瓶吧！"

霍桑笑道："包朗，我侦查了许多案件，哪一件是我保守秘密不让你知道的？否则，你日记中众多的案件又从何处下笔？安心一点，希望你睡得甜蜜！"说完，他就走进卧室去了。

我目送他走开，独自坐了一会儿，觉得无聊，随即也上床睡觉。不过心思太多，白天所经历的一切还历历在目，翻来覆去不能成眠。勉强睡着，却又被噩梦惊扰。仿佛在梦中看见形状奇怪的人破门冲进来，手中拿着短枪对准霍桑就开火。我抢前去援救，不幸子弹打中了我的胸口。我知道这下活不成，整个身体向前扑倒，突然间就从梦中惊醒，全身冒着冷汗，心脏跳个不停。于是我从床上爬起来，喝了杯冷水，这样稍觉安宁一些，才再度入睡。

次日清晨，施桂把我叫醒。起床洗梳完毕，却不见霍桑。我有点奇怪何以他贪睡还未起床。

施桂手里拿着一张纸走到我身边，说道："霍先生一清早已经出外，说是到警局去。这纸条他要我交给你。"

我十分诧异，为什么他不告而别？于是展开纸条，上面这样写道：

包朗我友：

现在我到警察局去，请求他们派警察前来帮忙。等他们来寓所时，你可以带领他们到胥门外三山会馆后面的坟地上去。那里有一株乌柏树，向南的树枝上缚着一根红线，照这树枝所指的方向，可以看到一个新掘的坟冢，你可以吩咐警察将它发掘开来，然后开棺材检验。若有什么所得，请立刻来寓所报告。

霍桑留笔

我十分惊愕，这是什么事，霍桑竟要我去干？掘坟开棺，法律上是禁止的。如今他贸然叫我去干这件事，岂是儿戏？何况我对案情的发展一无所知。事前不曾加以说明，我怎能担任如此重大的责任？还有一点我弄不懂，霍桑到这时分忽然临事退缩，反叫我首当其冲？照情理讲，他总不至于有意陷害我。不然打开棺材的事是霍桑的主意，如果说有罪，他可推卸不了。昨天晚上我已满口答应，现在可不能推却而自食其言呀！

我开始吃早饭，尚未完毕，施桂进来报告有四个警察到来，我只能起来，到外面接见他们。

其中一人对我说道："我们是奉所长之命来的，听从先生指挥。"

我点点头说道："很好，请跟我来，现在我们到胥门的三山会馆去。"

警察点头。我在前面引导，缓缓前行。大约走了一小时，远远望见会馆后面的坟场。场地十分阔广，坟丘很多，不可胜算。清晨寂寥，全无人踪。西北风呼啸作声，仿佛鬼啸，身上觉得格外寒冷。我张目四望，果然见坟场中有一棵乌柏树，走到树旁再找向南的树枝，果然红线还系在上面，沿着它望过去，的确有一座新坟。

我领警察走到新坟前面指着坟说道："各位可有办法把它

掘开？"

警察甲吓了一跳问道："先生要我们把新坟掘开？"

奇怪，霍桑在警察局请调警察的时候，难道没有说明原委？

我故意淡漠地说："对，不过要掘开坟墓必须先有锄头等工具，你们可找得到？"

警察甲说道："要锄头有办法，不过想问先生，掘开坟墓有什么目的，能不能说出来先听听？"

我无法回答他的话，说道："你们就照我的话发掘就是，问那么多干嘛？"

警察甲没有说话，大家面面相觑。其中一人反身走开，几分钟后，果然拿来两柄锄头和一把铁锹。四个人轻轻低语一会儿，就协力开始掘土，因是新坟，泥土堆得又不高，铲掘不费多大力气，没有几下棺材已经露在外面了。

警察甲停止挖土抬起脸说："先生，里面有新棺材。"

我说道："是新的棺材吗？这正是我所要的。"

甲说道："怎样处理它？"

我说："把它吊上来。"

警察们把泥土扒开，把棺材吊起来。棺材是价廉的白木，没有髹漆。

我又吩咐道："把棺材撬开！"

话刚说出，四个警察相视失色。

警察甲说道："先生，为什么要这样？你知道法律禁止破棺，违反禁令这不是随便的事！"

我不禁有些惶悚，但事情已经干到这个地步，绝对不能迟疑，即使是冒险犯禁，也顾不到了。

我直截了当地说："我知道，何劳你们叨唠不休，帮我把棺材盖打开。”

警察乙说道：“先生，一切责任要你来负！”

我说道：“当然，不讲也是。”

警察丙问道：“先生，打开棺材是要尸体？还是怀疑棺材里藏有赃物？”

我这下却回答不出，我是听霍桑的吩咐来的，只知道挖坟开棺。究竟棺材里有什么东西，霍桑没有告诉我，我怎会知道？纸条上说明，如有什么发现，立即回去报告！看来霍桑自己也不知道有什么东西，我一时竟无话可答。不过一转念头，想到这是件无头案，案中急急乎要知道的，就是死去妇人的头颅。

我立刻回答道：“你们难道不曾听到有关尤家的无头案？我这次破棺，就是想看有没有头颅！”

警察们又相互看看，迟迟没有用锄头打开棺盖，此时我开始有些不耐烦，同时不免也有些心虚。

警察甲说道：“先生说棺材中只有一个头是吗？可是这棺材不轻，区区一个头会有这样重吗？”

他们越是话多，我越是感到惶惑，简直无话可辩，最后不能不厉声说道：“把棺材打开！有什么好啰唆？”

四个警察不再辩论，锄头铁锹一齐下，棺材盖立时就被打开。

警察甲往里面看了一眼，惊骇地叫道：“唉！这是一具尸体呀！”

警察乙也说道：“是一具女尸！”

警察丙说道：“尸体完整无缺。”

我大为惊奇，事情变化太突兀！霍桑可能预料错了？我走近观察，果然是一具尸体，身上包着红色的布衣，脸面露出在外，呈现惨白色，还没有腐烂。我忽然看见布衣角端有着暗红色的斑点，这是血迹无疑。

我叫道："把尸体拿出来，尸体看来有问题，你们看见吗？衣角上面有血迹呀！"

警察们低头注视，大家点头表示同意，于是一起伸手把尸体从棺材里抬出来。警察甲突然大叫："呀！这不是人的尸体，是木头做的尸体呀！"

我大为喜悦说道："不错，本来这里没有尸体，只是一个头而已。"

警察乙拉出一根大木头，原来是一段小树的树干。另外一个警察用手提起人头，头上戴着兜子，把兜拿掉，只见头发散乱，上面涂满了血迹，耳朵上垂悬着耳环，同样是血迹斑斑。

甲说道："棺材尾有石板。"

乙问道："先生，这是谁的头？现在怎样处理？"

我说道："这就是尤敏的妻子王氏的头，你们不妨带回警察局，我立刻去报告霍桑。"

正在此时，警察甲回头望着坟场的东边，招手遥呼："你们为什么到这里来？"

"奉所长命令，带这位老婆婆来认人头。"

我也回头看见两个警察扶着老妇从轿子里出来，摇摇晃晃地走近墓地。这老妇就是尤敏的老母。

尤婆婆喃喃自语："他们勉强我来，你们果真已经找到我媳妇的头了吗？杀死我媳妇另有其人，不是我儿子阿敏！"边走边说朝坟地走来。

等他们走近警察甲举起妇人的头，说道："你是来认头的吗？看看，是不是这头？"

老妇走近一步，用手背揉揉眼睛，抬头看了，半晌，用力摇头："不对，不对，这不是我媳妇的头！"

隔窗语声

诸位读者先生，到这时候我实在也不能说违心的话。因为我听到老妇的话后，惊奇得不知所措。这次打开棺材完全是受霍桑的托付，而这中间详细的情况我一无所知。初起打开棺材见到人头，我以为一切都在意料之中，因此可以禁止警察的争辩。现在我该怎样应付呢？这个头既然不属于王姓妇女，必定是另一女人的。现在一件案子，忽然变为两件案子，岂不是出人意料？而且看来破案更加棘手。这女人是谁？她的尸体在什么地方？王氏的头仍然没有找到，这件凶案将如何了结啊？假使警察们再来问我，我有什么好说呢？如果他们态度严厉地对付我，我是跟他们针锋相对呢，还是低首卜心，忍受下来？我想到这里，确有点进退两难，唯一的办法是立刻去告诉霍桑，让他自己来解决。

计划一决定，我看见警察们围住了尤婆婆在盘问，大家都七嘴八舌争辩不休。乘他们不注意时，我就不告而别，先走一步。大约走了半里路，雇到一匹驴子，立刻骑驴回家，回头不见警察在后面追踪，我才放下心来。心想霍桑约我回去报告，此刻一定在寓所等待。要是他真的留在寓所，势必他是无事可做，那么为什么自己不去开棺，却把这个差使交给我，让我去受这一场虚惊？

我策驴赶路，跑得很快，片刻工夫便到家，进去问施桂，知道霍桑已不在家。施桂说，霍桑从警察局回来后，等了好久，才一刻钟前，有人来寓所，霍桑就跟着出去了。

我未免有点生气，说道："他又到哪里去了？真不懂，何以他处处以哑谜对人，把我掉在五里雾中。"

施桂说道："霍先生出去前，又留了一张纸条给你。"

我急急展开纸条，上面写道：

> 想老兄已找到人头了，多谢你的帮忙。现在我是去抓捕凶手。你若是在十点钟之前归家，可照这个地址去那里找我，让你也能看一看这案子的真相如何。
>
> 桑

我读完信，开始发觉，原来霍桑明明也知道棺材里只有头没有身体。不过头属于哪个女人，他也知道吗？现在还不到十点钟，不如走一趟，求个水落石出。信上说此去是逮捕凶手，谅这一次不至于再欺骗我，纸条的末端留下的地址是大日晖桥九号。我记下地址把信纸留在书桌上，于是骑驴前往。

到达大日晖桥，寻到九号门牌，这是一座有两进的屋子。我不敢贸然进去，走近墙门，只见上面标着"梦生寄庐"四个大字。我正在徘徊时，看见有个形态龙钟的老人拿着一只瓶走出来。我猜他是看门人，因此壮胆上前问道："你家主人在吗？"

老人回答道："在，刚才有一位客人来访，他们正在书室里谈话。"

我乘机说道："我就是客人的朋友，也想见见你主人，我自己进去吧？"

老人似乎并不疑惑，答道："好极，请自己进去，我去买些酒来。"

我不说话，急忙进去，走过一庭院，便是第一进。正中是客厅，陈设还简单，左右都是厢房。由于风大天气变冷，两边厢房的窗户都关着。我站在院中，听不到什么声音，猜想里面没有人居住，于是再往里走去，果然听见有谈话声，我立刻停下来静听。声音是从右边厢房里传出来，窗户也紧关着，我细细辨别，是霍桑的声音。这时我胆顿时壮了起来，知道没有走错人家，于是轻轻弯腰匍匐在窗前，并不直接进去，怕扰乱了他们的谈锋。

霍桑道："你为什么这样默不作声，事情已经到这地步，缄默也无济于事，何不从实说出来？"

对方仍没有说话，我依旧屏息静听。

霍桑似乎有点不耐烦："你始终不肯讲，那么我为你说出来。你在十八日晚上曾用刀杀死一个女人，这女人名叫阿香，是你家的婢女。你为什么要杀她，我虽然不知道，根据情势判断，要不是里面有暧昧的勾当——"

对方忽然厉声地答道："荒诞！这真是莫须有的事。"

霍桑说道："你是指我说你杀人的事呢？还是指暧昧的勾当？杀人的事证据齐全，不能再抵赖否认，至于暧昧的事，可能我讲得过分一些。但是先生既然不愿将实情告诉我，我不能不姑妄说之。你既然把那个女子杀死，忽然想到把祸害嫁在别人身上。换句话说，你想把一个死去的女子调换一个活着的女子，玩弄李代桃僵的手法。因此，你为逃避侦查，又把女子的头割下来，以假乱真。之后，你差人往涌泰船厂租一只小船。那人是你的同谋，还是事后招来帮忙的，我现在还不得而知，等到租船之后，他确实是和你一起把无头尸体运到尤家去的那个人。"

霍桑说话的声音略一停顿，但是对方依旧不发一言，不做答复，我偻下身体继续贴耳静听，心中跳跃不定。半晌，霍桑继续说道："你到尤家已经是深夜，你留下同谋看守小船，自己背负了阿香的尸体上岸。你敲尤家的后门。开门接纳你进去的就是尤家的媳妇王氏。王氏对你一切的行动大为惊讶，因为你没有预先告诉她，因此看见你深夜敲门，一时不敢接待。只需观察门外杂乱的脚印，就知道你攀墙观看并在门外徘徊很久。后来你既见到尤妇，就把你的计谋告诉她。她照你的计划办，立刻把自己的衣服穿在死者身上，同时还用婚约戒指故布疑阵，以乱人的耳目。然后你便带着尤妇一起逃走。你把阿香的无头尸体留在尤家，把阿香的衣服丢在河里。你一举手之间，杀人的罪名全部推卸，又得到了尤妇，你的计谋可说狡黠极了。"

霍桑休息一下，室中一时寂静无声。

到此为止，我恍然明白全部真相。原来死去的不是尤妇自己，而是婢女阿香。那么刚才看到的，原来是阿香的头。阿香本来是尤妇娘家的婢女，霍桑方才指说是凶手自己的婢女，那么凶手莫不是王氏家族中的人？

这时候对方仍旧默不作声，但是我隐约听得出他叹息的声音。

霍桑继续说道："现在你应该老老实实地说出来了。你过去的所作所为，我完全清楚，你虽然想假装伪饰，还是行不通。我倒问问你，你为什么要谋害阿香，我知道你跟尤妇相好已久，如今你把她藏在什么地方？我看你还是知趣些讲出来，勿再守口如瓶了。"

霍桑把话讲完，我还是没有听见对方的答应声。房间里寂静无声。我感觉到皮肤上起了鸡皮疙瘩。不知道是由于外边寒风袭人的关系，还是案情发展太多刺激的关系。

霍桑又说道："你坚持不肯讲吗？还是认为我的话没有说够，要等我把证据拿出来给你看？好吧，我再讲给你听。你把尤妇带回去后，就在外面造舆论说阿香急病身亡，然后把阿香的头放入棺材，葬在三山会馆的义冢内。事后你又把尤妇的一对耳环邮寄出去，利用它来愚弄警察，可是你没有想到你的每一个诡计都被我窥破。你看，这不是你投寄出去的一副耳环吗？耳环上还留着血迹，不用说，这是动物的血，你故意涂上去的。至于阿香的头，我已经请朋友去坟墓发掘。此刻我的朋友到此已久，你也要他进来做个见证人吗？"

我有点惊奇，莫非霍桑早已见到我来？

霍桑此时突然高声叫道："包朗，请进来，我正在等待你的报告。"

惨　果

我突然间听到叫唤声，的确出人意料，现在不能不应声进去了。于是我走进书房，眼见有一个青年脸面朝外坐着，霍桑坐在他旁边。当我走进去时，青年脸色骤变突然站起来。

这人看来三十左右年纪，脸面还白皙，头发乌黑，而两只眼睛深陷，像是失眠已久的人。他身材修长，穿咖啡色西装，衬衫领圈很脏，似乎已经好几天未换过。我一看他的这种形状，头脑里忽然得到一个印象，想到昨天施桂所描述的那个怪客，很像这个青年。难道昨天两次访问霍桑而落空的人，竟是这个杀人的凶手？

霍桑问我道："你一个人来的吗？"

我觉得耳朵脸颊都有点发热，立刻回答道："对，头掘出后，尤婆婆已经看过，果然不是王氏。是阿香的头没有疑问的了。"

霍桑点头道："好极，先生不虚此行，我一定会报答你的辛劳。现在请暂且坐下，不妨听这位罗君述说他的经过。"因此又回头望着青年说："梦生君，现在就请你答复我一句话。方才我所讲的一切，是否合乎事实？不会是完全错误的吧？"

梦生已坐下并低着头，身体战栗不停，此刻慢慢抬起头来回答。

梦生说道："先生所讲，句句真实正确。我不能不佩服你高超的技术。事到如今，我也不用再掩饰说谎。我犯此凶杀案的原因，实在是有一段悲惨的，也是秘密的历史。如果先生听明白后，一定也会对我产生怜悯之心。昨天晚上我两次到府上求见，本想把全部真相告诉你，可惜无缘见到一面。"

霍桑惊讶地问道："你昨晚曾经到我寓所去过？"说完眼睛注视着我。

我微微一笑。昨晚我告诉霍桑有怪客访问，他满不在乎，还怪我大惊小怪。现在看起来，他实在失策了。

梦生回答道："一点儿不错，昨夜曾到府上访问，原来想向先生表白自己的情怀，寻求先生的同情。现在一切局势已变，讲出来还有什么好处？如果先生把杀人之罪加在我的头上，我只有坦率地承认。"

霍桑立刻改变口气说道："请勿疑惑，把实在的情形告诉我，如果有可以原谅的情形，我不是木石，又为什么不可以通融呢？"

梦生睁着双目说道："当真？"意思似乎不敢马上相信。

霍桑说道："我生平从来没有失信过。你若有不得已的心事，只要跟正义大相径庭，我无不尽力而为。"

梦生沉吟一下，说道："先生若能如此，那我就心满意足了。我本人不怕死，只怕因此连累了她，那我就也不能瞑目。先生能为她主持公道，我就是死了也没有一点儿遗憾。"他的声音哽咽得更加厉害。

霍桑问道："就请先生把真相说出来，我一定尽力满足你的要求。"

梦生叹息说："先生知道尤妇是什么人？七年前，我初认识她时，还是一个妙龄的少女。当时我们原以为可以完成心愿结为夫妇，白首永谐，可是天不从人意，终于劳燕分飞。到今天，竟有这样凶惨的结局！想到这里，我都心碎了！"他泣不成声。

霍桑和我都默不作声。我知道他旧事重提，悲从中来，自己怎么能控制住呢？

梦生继续说道："当年我在某中学读书时，蕙珠在某女子中学读书。每天早晨上学时，总要见面，时间一久，我们便相识而且来往。我们的交情绝对不是普通那种羡慕美貌而相互喜悦。我欣赏她的温婉而娴静。她仰慕我的才名，因为在学校里每逢考试，我总是名列前茅，因此略有点虚名。

"一年后，我中学毕业便升入大学，为了求学，我离开苏州，就和她两地分离。没有想到，这一别竟好像是永远的隔离。等我学成回到故乡，蕙珠已经成了尤家的媳妇。"

梦生说到这里，神色凄惨，呜咽得不能成声，我知道他的苦痛已是十分深了。

霍桑好言安慰他："请不必为此悲恻，事情到这地步，悲伤也是徒然无益。"

稍停一会儿，梦生果然平静下来，说道："初起，我和她只是文字之交，除以笔纸互相酬答，没有提到其他的问题，对于婚姻一事，仅是彼此心中默许，或者在笔墨中稍微表达一些心意，并未正式订过婚约。我家境清寒孤独没有什么依靠。除慈母外，叔伯弟兄辈也极少。我能进大学读书，完全靠我成绩优良，名列前茅，得到母校校长的援助，否则绝对没有能力进大学念书。因此对于家室，我一向反对世俗所谓的'成家立业'这种谚语。我认为应该把这谚语颠倒一下，先立业而后成家，这才合适。我还写过文章对此加以讽刺，薏珠读到后，深加赞许。

"我本来的计划是等到大学毕业，能够自立后，再聘娶薏珠。薏珠对我的计划暗暗默许。因此当她父亲要把她许配给尤家做媳妇时，她向父亲老实说，她和我之间虽没有婚约，但愿意嫁给像我这样有志气的人。尤敏跟我相比望尘莫及，他仅是一个不学无术的纨绔子弟。他父亲早年做官，多少遗下些积蓄，他母亲对他十分宠爱，尤敏便娇生惯养，在学校里读了几年书，可是连鱼鲁也分别不出，只知道奢靡挥霍，花天酒地。

"薏珠父亲王景绥，平素喜欢逢迎富者，更是垂涎尤家的财富。听到女儿已经心中默许我这个贫穷人家的孤儿，竟勃然大怒，拒绝女儿的要求，强迫她嫁给尤敏。薏珠苦苦哀求，希望获得父亲的谅解，她父亲发怒地说：'我可以送你入学读书，希望你能高配大户人家，让你父亲也可以攀附一下，你竟盲目地选择赤贫的罗姓穷小子，你不只违反了我的初衷，而且在亲

戚乡里前丢我的面子！完了！完了！'

　　"唉，做父亲的既然有此势利的成见，把女儿当货品一样地出售。像薏珠这样柔弱，哪有力量反抗？在被逼之下，嫁到尤家去做媳妇，她不幸的生活从此时开始。"梦生悲愤之极，声音哽塞，无法继续说下去。

　　霍桑叹息道："这确是非常不幸的事。在如今的社会中，不合理的买卖婚姻到处皆是，受到伤害的远远不只王氏一人。真不懂做父母的居心何忍？"

　　梦生听到霍桑同情的安慰，他的悲伤情绪，稍有好转。一会儿，他又继续讲下去："本来这些内情我完全不清楚，直到薏珠结婚两年后，受尽了折磨痛苦，无法忍受，才把隐情告诉我。因为我既已毕业回乡，听到薏珠已嫁到尤家，初起我不知道她的情形，薏珠也未曾向我提及。我只能自叹福薄，徒然失望而已。

　　"等到她婚后两年，忽然写第一封信给我，这就是她诉苦的信呀！那封信一共有七张信纸，述说婚事的经过以及婚后过的凄惨境况。我读完她的信才恍然明白，她事前所以不肯诉说而保守秘密是怕引起我的感伤。我十分悲伤，心想木已成舟，爱莫能助。那时候尤敏的私生活更是荒荡透顶，经常宿娼醉酒，再加上赌博。薏珠虽然屡次劝导，但婆婆太溺爱她儿子，非但不帮助她，反袒护儿子，斥责媳妇多话。薏珠更加担忧，因丈夫日趋下流，前途简直是不堪设想。

　　"又过了一年，我接受某书局的特别聘约，担任编辑工作，当时我母亲忽然逝世。朋友们常常建议我考虑建立一个家庭，我都婉言谢绝了。我已决定请个女仆料理家事，愿意终身不娶。这时候尤敏的行为更加荒荡，家中产业几乎都被他挥霍殆尽，于是生活日渐困难，家庭状况愈变愈坏。老妇不责怪儿子荒荡不务正业，反而怨媳妇的命不好，因此常常咒诅，强迫把一家的生活担子压在媳妇的肩上。薏珠不敢违抗，靠她十指做女红针线活维持家用。收入本来微薄，加上尤敏野蛮地逼迫勒索，贪得无厌，以至家用不足，不时受到辱骂。到这种地步，薏珠既没有丈夫的爱，又得不到婆婆的谅解，处境的悲惨，真是苦到求死不得。"

霍桑见他略作停顿，立刻就插口道："她因为穷困的缘故，曾向你请求伸出援助的手，你就假借她父亲的名义给予金钱上的帮助，对不对？"

梦生说道："不对，我资助她，完全出于自愿，薏珠从来不曾向我开口请求过。至于用她父亲的名义将馈赠送去，先生猜得不错。你知道，我帮助的是日常生活费用，并不是偶然一次的事，因此必须有万全之计，方能长久下去。因此我用她父亲的名义，差阿香常常送去食品和金钱。那时候王景绶看到尤家衰落，早已跟他家断绝往来。我用他的名义去接济，一方面可以避嫌疑，另一方面不致被识破机密，计划可说相当周到。

"如此情形维持了一年。我把自己写文章所得稿酬资助尤家。尤家生活得到改善之后，薏珠的情形也比较安适一点。可是事情并不如想象中的如意，忽然阿香在其中刁难，发生了意外的祸害。每次我差阿香去送物送钱，我对她也总有酬谢，可是她心不知足，时时向薏珠敲诈勒索，久而久之胃口越来越大，凡是我要给薏珠的金钱，她半途中要扣除一半，同时不许薏珠声张，如果讲出来，她便要宣布秘密，以此作为威胁，这件事被我得知后，简直不能容忍，惨剧于是开始启幕……"

霍桑问道："阿香胁逼尤妇，你怎么会知道，是不是尤妇自己告诉你的？”

梦生严正地说："不是的，自从薏珠出嫁后，我一共只见过两次，都在路上偶然碰头，即使见面时，我们也不交谈。我们之间互诉衷肠全靠笔墨表达，彼此心神相交，倾吐两人的情愫。阿香敲诈的事情，起初薏珠不肯讲，长久以后忍受不了，于是在信札上略作叙述，要我辞歇阿香。我有些怀疑，问阿香，忽然阿香声色俱厉地威胁我，如果我辞歇她，她立刻把秘密原原本本去告诉尤敏，而且要诬告我和薏珠暗中私通。假若尤敏听到这些，不用说当然立刻会杀死薏珠，间接会毁掉我的声誉。要是我的人格破产怎样还能立足生存在这个封建社会上？唉，阿香也是一个女人，何以和薏珠相比心地竟有如此大的差别？我真是做梦也没有想到。阿香用心的阴险比蛇还毒，什么事可以忍耐，对这件事可实在忍耐不下去，我一时愤怒，阿香就变成了我刀下的鬼！"

我禁不住插口道："你杀死阿香以后，计划换尸，于是把头切下？"

梦生说道："是的，移尸这件事，完全像令友霍先生所说的一样，杀死阿香后，自己不免惊慌，觉得杀人的罪名一定难逃，而且会连累到薏珠，况且初起她并不知道。最后才想到移尸替代薏珠，岂不是两全的办法？虽然我猜想薏珠一定不肯如此做，但没有别的方法可行，只能试一下。我于是把阿香的头割断，用布包裹，再冒险把尸体运往到尤家去。这是我第一次到尤家。

"到达尤家，我果然无法入内，很久门才开启，薏珠拒绝我的要求。我只能把利害告诉她，她勉强听从我的劝告。以后种种的布置和埋葬人头等事，霍先生了解得这般清楚，仿佛亲眼看见一般，不用我再述说了。"

我问道："你果然有同谋的人吗？"

梦生说道："那人不是同谋，是事后我招来帮忙的。"

霍桑也问道："那人是不是你的朋友？"

梦生说道："不是，他本来是我家的旧邻居，从小就看见我长大。如今他年事已高，我感到他为人忠厚可靠，又会摇船，于是我向他求助，他怜悯我答应了我的请求。这件事实际上和他完全没有关系，请先生宽恕他。"

霍桑道："我知道，我绝不会连累无辜的人，那人住在什么地方？"

梦生说道："住在胥门内，昨天晚上我从先生寓所回家，怕城门有守警，不敢出胥门，于是在他家中住了一夜。"

霍桑点头道："那么尤妇的一对耳环，一定也是你的旧邻居帮你丢在邮筒里的。"

梦生说道："先生说得对，我寄这一封信是有用意的。我深虑到，如果我逃脱罪名后，凶案便没有了主犯，可能连累到无关系的人身上，于是回到家后写成此信，伪称是报仇，并拿耳环作为证据；等到十九日我的旧邻居来的时候，请他代为投寄。果然如此，第二天读报纸，见到尤敏被逮捕，怀疑他是杀人凶手。我虽然对他没有好感，要是杀人罪名加在他身上，于心不安。我大吃一惊，一时苦无对策，最后决定去自首，以成全我的初衷，于是就毅然到先生的寓所去了。"

我慢慢地问道："照常情推测，尤敏被牵累进去，正合了你心愿，你何以反觉不安？"

梦生听我说后，忽然愤怒地张大了眼睛，严肃地说："先生，你小看我了。我们都是读过书的人，自然知道什么是人的私德。何况我握笔写文章负有指导社会的责任，我怎可以明知故犯？尤妇先前虽是我所疼爱的人，后来既然有了丈夫，我怎敢再存妄想？爱心虽烈不可能很快消失，但为了维持社会风化，我也知道克制自己。所以我以前的资助和事后的调换尸体，一切都基于纯洁的同情，从没有非分之想，唯一的希望是把她从水深火热里解救出来。当我听到尤敏被捕，心中十分慌张。按尤敏平素的为人，不得善报，也是理所应得，要是借我的手报应，我不但不能帮助薏珠，扪心自问，也不能说没有错误。因此昨夜我冒险进城，直冲到先生寓所，一心一意要把实情讲出来，听凭先生的处置。

"我一直听说先生是一位心地仁厚的君子，在查这件案子时，坚持认为尤敏无罪，这完全符合我的想法。凭先生的机警精敏，迟早会找到我，我何不坦白自首陈明一切？先生要是能给予怜悯，说不定我还有获得自由的机会。想不到两次拜访，两次都未见到。今天先生果真来临，但已隔一天，局势变化太大，我已不做免死的想法。"

我听到这里，改变了对他的态度，说道："请先生原谅，我以普通人的心理来猜测你，这是我的不对。凭你这样的用心，做出如此大的牺牲，不能不令人起敬呀！"

梦生叹叹气，并没有答话，头低到前胸。我注视着霍桑，等他开口。这位青年的所作所为，胸怀光明磊落，确是不平凡。而今犯了这件案子，论法律，他不能逃避罪责；论人情，实在不忍加罪。我不知道霍桑将如何解决。

霍桑说道："罗君，我听你叙述了一切，实在出乎意料。但是时间太晚事情已全部暴露，即使我有同情心，也不能违背法律。至于那妇人，我一定成全你的心愿，不使她牵涉到里面去。"

梦生对霍桑道谢说："先生能如此做，我心愿已足。薏珠果然能获得自由，将来迁居到别处去生活，改换姓名，还不难自谋生活。要是不幸她重新回到她丈夫那边去，那么死神一定会伸手欢迎她。"

霍桑道："请不要担忧，我一定为她想办法。请问她还在这里？"

梦生说道："对，十九日早晨到这里，住在后屋，我跟她只见过三次，现在有一个女用人陪伴她。"

正在此时，后屋忽然传出惨叫之声，我听到后毛发都竖起来了。

梦生大惊，急忙起立："莫不是薏珠出事，我们马上去看。"说完，首先冲了出去。

我们跟在后面，刚走到后屋门边，用人夺门而出，慌张大叫："先生，她已偷听好久，现在自杀了！"

梦生失声问道："死了？"一边说一边进去。

我看见离开门不远，有一个脸色惨白的少妇横倒在地，穿的青布棉袄，衣襟上全是鲜血斑点，刀还插在心脏。凄惨极了！

梦生跳过去放声大哭："薏珠！可怜可爱的薏珠，是我杀了你呀！"声音还未说完，便晕倒在尸体旁边。

我们看见梦生晕倒，正想去扶持他，忽然听见门外有喧嚷的声音。

霍桑诧异地说道："是不是警察？他们怎么会来的？"

我方始想到我是从坟场溜走的。警察找不到我，势必追踪到寓所去。

我因此说道:"恐怕他们已经到过我们的寓所,因为我把你的信条留在桌子上,他们就依此而寻找来了。"

这时分,有两个警察已经闯进来,我一眼见到,原来就是跟我去掘坟的甲乙两个警察,后面跟着的老人就是罗家的看门人。这些人看到霍桑,正想开口说话,霍桑立刻止住他们,用手指向地上的梦生。

霍桑对警察说道:"不必多语,请扶他起来,他已晕倒地上。"

梦生突然从地上跳起来,用力把妇人胸口的血刀拔出来,高声叫道:"我就是杀人的凶手,你们是来绑我的吗?不必劳神,我自己认罪!"说完,举起刀来,直向自己的心窝刺进去。

我跟霍桑都惊跳起来,奔过去夺刀,可惜已经来不及,血刀已经插进梦生的心脏,梦生扑倒下去,警察甲伏在地上检验梦生有没有呼吸,警察乙也跪下去,检验那妇人还有没有气息。

霍桑问道:"还有得救吗?"

两人都摇摇头:"没有呼吸了!"

霍桑低头,热泪不禁突眶而出,叹息地说:"唉,真是爱海即是恨海,这一对可怜人将是饮恨终古了!"

我目睹两具尸体并行地倒卧在血泊里,心酸极了,这是惨绝人寰的悲剧,自己不禁也泪落衣襟。

霍桑于是吩咐两个警察:"你们在这里看守,我到警察局报告这个消息。"回头对看门老人说:"不要怕,这事跟你没有关系。守住前门,不许让任何管闲事的人进来。

霍桑和我离开后室,走到书室中拿了帽子手杖准备出去。

霍桑忧愁地说:"包朗,你今天目睹了一出悲剧,这也不是开始就能预料到的！可悲！可悲！"

我问道："可不是吗？这样凄惨的局面，我从来不曾经历过。今后我们该怎样办？"

霍桑说道："你先回家，我此刻要到警察局去证明一下。"

结 穴

于是霍桑乘马车，我租了驴子，分道扬镳，各人走各人的路。我回到家里独自思索了半晌，觉得这件案子如此离奇，结局竟是意外地凄惨，现在想起来还是叫人心酸。霍桑是个十分坚强的人，竟然也落下了伤心的泪水，这是我从来没有看见过的。我知道霍桑流泪，不完全是为了他们两个人，也是为了世界上纯洁的男女受到恶家庭的逼迫，在同等的遭遇下成为牺牲者而流泪的。

这一天，霍桑要结束这件案子，整天忙碌，回家已经是傍晚时分。

我把他迎进屋后，问道："事情已经了结了吗？"

霍桑点点头："结束了。"他的声音低沉，神气也抑郁不乐。

往常每当霍桑破案回家，总是神色高兴，今天完全不同，他那深有感触的心情可想而知。吃过晚饭，我想到昨夜他约定给我解释剖析一切的疑迹，但看到他静默不欢的神色，我就有点难以开口。

霍桑似乎感觉到，温婉地说："包朗，请你稍等一下，我绝不食言。"于是拿出他的小提琴，调整好琴弦独自拉了起来。

我凝神细听，音调十分哀婉，凄恻。想起那天清晨他奏出的是欢乐的声调，和今日情形完全不同。一会儿，琴声忽然停止。霍桑在椅子上坐下来，抬头仰视，长叹了一声。他问道：
"包朗，你知道这个曲子吗？"

我答道："这是波兰音乐家肖邦的哀歌！你为什么要奏这
个曲子？为吊唁这一对殉情的恋人吗？"

霍桑叹息道："不错，我奏此曲一则是悼念，再则是发泄
自己悲伤的感情。否则，心中悲愤，我就要生病了！"

我点头说："你的感触真是太深了。只要观察你奏出的曲
子如此神化，可见你心中的哀怨都凭借着音韵全部发泄出来。"

霍桑微笑道："你真是我的知音。我已经好久未拉这一曲
了，而今奏来，手指倒并不觉得陌生，音乐与心灵有感应，确
是千真万确！"

霍桑燃起一支纸烟，我也跟着抽了一支，大家沉默了一会
儿，接着霍桑分析了凶案的经过情形：

"包朗，昨天晚上我不是应许今天一定为你解释疑团吗？
好好听着，我先告诉你探案的经过。自从我获得金声的报告
后，就立刻赶到涌泰船厂，找到厂里的一位负责人就向他询
问。据说十八日晚上有个名叫吴义的男子租了一条船，说船是
罗梦生先生要的，明天归回。船厂的负责人问有什么用，吴义
告诉说罗家婢女有急病，主人差人去通知她的家属。婢女住在
吴江，必须乘船前往。船厂负责人许可后，吴义就摇船离去。"

我问道："吴义可能就是梦生提及的旧邻居，对不对？"

霍桑说道："对，这人就是帮梦生撑船的人。次日，吴义
果然把船还给船厂。厂里人问起婢女的病情，他说婢女病死
了。我获得这种种报告，知道自己意料不错，再查问梦生的形
状相貌，也全部符合我的猜想。于是我查出梦生住的地方。"

"那么老兄就照着地址到罗家去？"

"对！"

"你怎么知道棺材中是头呢？"

"头是我早就预测到的，我想知道的是头葬在什么地方。"

"难道你早已知道那是阿香的头？"

"怎么会不知道呢？且慢慢问头的事，让我先告诉你研究头的情形。我到罗家时，先向邻居打听梦生的历史，才知道前一天果然有婢女出殡的事，而且婢女的名字叫阿香。我心中大喜，查问葬在什么地方，却谁也不知道。我在想他既然公开地为阿香出殡，只要知道什么坟场，立刻可以找到死者的头。棺材很重，一定会雇人帮助抬，问他们就可知道坟场的地址。果然我从那些杠夫口中知道婢女葬在什么地方。等到我赶到坟场，已是黄昏时分，我用电筒四面找寻，相当费功夫。好半天才找到一个新坟，刚好有一个小孩走过，我试着向他探问，小孩说前一天做坟时他在场，于是把新坟指给我看，我在树枝上面下记号才离开。"

"你当天为什么不立刻发掘？"

"一则天已黑，二则私自发掘责任太大，所以不能不等到今天清晨。"

"我知道今天早晨你留在家中很久，你为什么不亲自动手，却害我饱受虚惊？"我禁不住有点生气。

霍桑一面吐着烟雾，一面缓缓地说道："我留在家中是因为报告随时随地会送到，并不是有意回避，让你独自担当艰巨的工作。昨天我回到罗家时，多方探听，知道梦生外出，不过有人看见他到城里去了，我想他不会走得太远，还不至于逃脱，因此在他住屋附近逗留，等他回家，直到家家户户都上了灯，还是不见他的影踪。可是完全没有想到，梦生进城是特地去访问我的。

"后来想想，自凶案发生后，各处城门都有警察驻守，行人出入，查问很严，梦生一定不会归家，住在城里，他当然有所顾忌。我又不肯放弃，于是走访金声，要他多派一个人，看守梦生的住所，如果梦生回家，立刻向我报告。布置完毕，我才进城回家。

"今天早晨我再去警察局，报告所长我所见到的一切情况，还要求派遣警察协助。回来后，我在家等待金声的友人张福的消息。因此实在没有办法分身，只能有劳我兄帮忙。昨天是你一口答应的，可知我不是有意回避。后来果然情报送到，我马上赶到罗家去，你也随后赶到罗家，以后的详情不用我再述说，因为你已目睹。关于破棺觅头，我没有事前告诉你详情，害你饱受虚惊，请你不要怨恨我，其实我倒可以借此机会测验你的观察和推理的能力，还可以试验你的胆量，我完全没有一点儿恶意！"

霍桑说完，继续抽着烟，闭上眼睛，像是在养神。我把纸烟放下，细细辨他的话，觉得他有些在狡辩，我可不能沉默不作辩论。

我问道："你的话指什么？测验的结果如何？"

霍桑丢掉嘴里的烟，答道："你能毅然完成开棺的任务，胆量的成绩可以得一百分，不过观察与推理还是不及格。"

"怎么解释？"

"你既然说开棺受惊，当然是指你看了棺材中的头感到意外，这岂不是观察力还很差？"

我不能否认，于是忸怩地说道："没有错，我的确不知道棺材里是阿香的头，你老兄什么时候知道的？"

霍桑微微抬起眼睛，说道："在开始调查这件凶案时我就预料到了。"

"当真？"

"你为什么不相信我？简单一句话，当我在检验尸体时，我立刻知道这并不是尤妇的尸体，我怀疑案中还有案。"

疯　人

我听到霍桑的话后，一则惊讶，二则惭愧。他的话可信吗？当初他并不认识尤妇，我也不认识。我完全没有想到，而他却能一见便辨出真伪？这么说来，他的神技真是不可思议。我默默地观察，他的神色安宁而严肃，并不像在开玩笑。奇怪！

我问道："你有什么根据能看得那么清楚？"

霍桑慢慢地说道："没有别的，我是根据情节推敲才知道的。实在我可没有通天眼睛。你也知道，这件凶案最显著，最耐人寻味就是尸体无头。记得吗？那个周巡官曾做过种种荒诞的假定。当时我把他驳斥得体无完肤，你也是听到的。我为无头尸体曾发生过许多疑问：是不是凶手行凶之后把头切断，作为报复？但尤妇为人十分娴静，怎么会跟人结下如此深仇？再说，想埋藏人头而灭迹，更讲不通，天下哪有这样愚蠢的人，把头搬走，把尸体留在哪里？因此我疑心凶手有意藏匿人头，是怕头面被人认出来，没有头留个身体，人们就无法辨别真相。那么死人果真是尤妇？还是另外一个女人？假使是尤妇，又死在尤家，衣服首饰都没有更改，把头取去，有什么用处？观察这几点，我断定死者不是尤妇而是另外一个妇女。"

我不禁点头称赞："你讲得对，照这样推论，情势看得清清楚楚，我实在太糊涂了。"

霍桑说道："原因很简单，你没有运用自己的脑子而已。我常说探案并不是困难的事，每逢有疑难题目，若能不偏不倚，站在正中，面面俱到，一定可以找到头绪，一切不外乎用谨慎的态度，运用自己的头脑仔细观察。要是当初我听到无头案子，单单觉得十分奇怪诡异，而不去细心调查其究竟，结果恐怕就很难说了。幸亏我看清尸体的形状而加以推敲，得到几点证据，解决了许多关键问题，于是我深信自己的考虑完全正确，死人绝不是尤妇，而是由另一个女子替代的。"

"你是不是从空场上的脚印上获得痕迹的？"

"显露此案真情的迹象很多，足印仅仅是其中之一。当初在我验查尸体时，就获得了几点证据，第一是死者皮肤的颜色。你有没有注意她的手指粗笨？我听说尤妇是做针线绣花生活的，刺绣是细工，一定不是粗笨的手指所能胜任，这一点岂不可疑？第二是她的戒指。这只结婚戒指非常奇特，我还特别要你注意，还记得吗？"

"对，戒指套在无名指的第二节上。据周巡官的意思有人抢戒指，但因指节粗一时未曾拉下来，于是留在第二节。你的意思怎样？"

霍桑摇头："这是一知半解。照他的说法，戒指一定尺寸很小很紧，所以自底根往上拉时，第一节跟手掌之间的手指皮肤应该看来十分紧张，因为用强力把戒指往上拉，戴戒指部分的皮肤曾有白色的指环印，事实上都没有。手指皮肤紧张的部分反而在第二与第一节之间，这是什么缘故？因为戒指原本不属于死者，尺寸大小完全不相称，戴上去时是从指尖推下去，

第一节经过，第二节套不过，结果留在第二节上，时间仓促，来不及事前把戒指放宽一点儿。结果皮肤被拉紧的现象发生在第二节的上面而不是下面，这不讲也可以明白的。"

我恍然明白过来，说道："照你所说，戒指是被凶手勉强套上去，以便冒充尤妇，免得引起侦探的疑惑。周巡官说是有人想把戒指抢走，跟事实恰好相反。"

霍桑说道："你说得不错，这是周巡官的失察，他气焰太甚，心粗脑笨，加上早已有了成见，没有做深入一步的探究。否则一切迹象十分显著，如果想一下，任何人都能辨别的。"

我默默思索，当时我自己也是没有发觉，或许是没有细察推究，也可能是成见太深，或者两者兼而有之。我实在无法自我宽解。

霍桑继续说道："第三是那血迹十分可疑。杀人再加断头，流血必然很多。尸身和地上果然有不少血，但形迹有些异样。我注意妇人衣服上的斑斑血痕，好像是有意加上去的，而不是自然沾染上去的。地上的血都已凝结成块，妇人头项间的血虽然已经凝结，但颜色不容易辨别，不过两者比较，仍旧看得出有所不同。除此以外，衣服纽扣没有全部扣好，襟袖十分皱褶，这等等都证明凶手在换衣服时相当慌张失措，而不能整齐有序。"

我插口道："我记起来了，你曾对死者的鞋子做过仔细地观察，是不是大小尺寸不相称？"

霍桑点头道："对了，脚的尺寸大于鞋子，那鞋子很窄，手一摸立刻可以明白。若不是细心人，往往就忽略过去。"

"此外还有其他的证据吗？"

"还有两点是全案的关键，一是脚印，一是失掉的棉袄，巡官指出棉袄是用去包裹人头的，这又是被他的成见误了事。尤妇既然把黑色绉绸的棉袄移到尸体身上，外边夜深天寒，单衣不足以御寒，因此把青布棉袄穿着走了。"

"那么脚印呢？"

"脚印有男女两种，出进看得十分清楚，你不是见过吗？男子的脚印，进去深，出去浅，河岸边还有一个极深的鞋跟印子，似乎他上岸走进屋子时身上背负着重东西，走出去当然轻得多，那时我假定男子即是凶手，而女子脚印是尤妇。依此类推，得知尸体是凶手从外边移进来的。初起，男子用船把尸体运到，背负上岸，先在屋外停留，后来与尤妇商量妥洽，于是把尸体拿进屋子将尤妇的衣服换上去，再把戒指等戴上去，布置好，才带尤妇离去。当时我做如此解释，自以为很恰当，我才深信跟尤敏毫无关系，和小牛等也是没有牵涉。因为案情奇特，凶手是谁一时很难决定，唯一的线索是脚印，我就跟着脚印做种种的分析。"

我点头道："那么当时你还不知道代替尤妇的死人是谁？"

霍桑皱皱眉说道："对。对于阿香的事我曾有怀疑，但还没有十二分的把握。"

"你怎会疑惑到阿香身上去？"

"没有别的理由，我既然疑惑尤妇没有死，而且跟着人走掉，知道这件案子主要原因不外是男女情爱。据倪三及尤婆婆的报告说，尤妇深居简出，平日来往而能谈的人只有阿香。这个婢女是尤妇娘家的人，情形大可怀疑。我想尤妇若有什么恋爱史，一定发生在她结婚之前，难道阿香是传信的人？果然不错，人们所谓情海就是祸海，两者之间本来也只是一线之差，凡是身入其境的人，祸福不可测。后来我特地到王家去打听，得知尤妇的父亲王景绥做人卑鄙而贪婪，绝对不是肯慷慨解囊接济别人的长者，他们家中并没有一个名叫阿香的婢女。我更加疑惑。记得凶案发生后第一次报恶消息时，王家没有一个人到场，王家跟尤家平时绝对不来往。我由此推理，平时交往一定另有别人。查到这个地步我才明白阿香一定是为尤妇通信息的中间人，或者说阿香是尤妇的代死的替身。"

霍桑伸展两腿，休息一下，点燃一支烟，舒松着神经。我默默思忖刚才我朋友所说的一切，对比案情，种种都符合关节。他事前就能洞悉其中的幽隐，眼力确有独到之处，我称他"独具只眼"，他可以受之无愧。我对他佩服得五体投地，他的睿智，他的敏捷，他的机警，都不是言语可以形容。

不一会儿，霍桑说道："包朗，凶案中所有的疑迹，我已经都向你分析解释清楚。留下来还有一点：你曾经问过，你认为凶手租船时，不租城河中的散船，偏要到船厂去租借，如此岂不是反而留下踪迹被人侦查出来？现在你既已知道到船厂去租船的目的是运尸体。当初我差遣金声到船厂去打听，就是这个缘故。现在你明白了吗？"

我说道："这样看来，散船一定有船夫跟着，要干秘密勾当就不方便，船厂租船是没有船夫的，因此像你诉说凶手不租散船而特地到船厂去租船用。"

霍桑点点头，没有答复我，自顾自在地抽烟。

我笑道："霍桑，你老兄对付这件案子，可以说敏捷极了，不过有一点是你失着之处！"

霍桑立刻把烟尾丢掉，抬起头，神色很正经，问道："哪一点？"

我说："昨天傍晚，梦生来过寓所两次，你回家，我向你报告，你一点儿不在乎，反责怪我大惊小怪，这岂不是你的失着之处？"

霍桑微微有些脸色泛红，说道："没有错，这些事本来在我预料之中，然而你的报告过分简单，只说客人很古怪，没有说清楚怪客的身材形状。这些方面你可不能推卸责任呀！"

我笑道："霍桑，你真俏皮而狡猾，就是这一点失着，你还想把过错放在我头上？"我略停顿一下，再郑重地说道："要是梦生昨夜到寓所，你见到他，并对他表示同情，我想这件案子就不会有这样悲惨的结局，对不对？"

霍桑叹道："一点儿不错。现在的结局竟如此悲惨，我心中好难受，实在不忍看，可是我无能为力呀！"说完慨然长叹。

三天之后，法院判结这件惨案。霍桑本人出庭作证。小牛和小麻子无罪释放，尤敏当然也恢复自由。没有想到第二天倪三忽然来报告，他说自作聪明的周巡官告诉他，尤敏忽然变得疯疯癫癫，不能任他自由在外，释放之后，又被转送到疯人院去。

我惊异地问道："尤敏发疯了吗？"

霍桑却像往常一样很平静。

他说道："我早预料到他会发疯，今天证实不错。只要看他向警察局招供，自认是杀妻的凶手，便可知他的头脑已经不清醒。这里莫须有的供词根本没有人强迫他说，一定是因为他神志不清的缘故。"

我问道："为什么他会疯癫？"

霍桑道："他是一个不知道节制的狂饮纵赌的人，神经一定十分衰弱。那天晚上酩酊大醉回家受到的惊吓可不小，加上法律上严厉的刑罚，即使平常人也会吓得发狂，更何况是尤敏？"

我叹息道："尤敏的下场，实在是他母亲的过失，不肯好好教养而只知溺爱。今后老婆婆要吃苦了。"

霍桑纠正我的话说道："你发表的意见还没有说到根本的原因。我们应该明白，尤敏的堕落，固然是母亲的溺爱，但社会也应该负一部分责任。譬如社会上许多赌博场所和妓院淫窟的后面都有恶势力的包庇，青年堕落后就不能自拔。这是主要原因。尤敏发狂疯癫，他母亲有责任。我猜想说不定尤老婆也会疯癫，那又是谁的过失？是尤婆婆自食其果呢？还是社会给她的恩赐？我可没有办法作答了！"

我听到此处，只有长叹，找不出适当的语言。霍桑则颓然而若有所失，他沉默着不再说话，只是跟我相对感慨而已。

两 粒 珠

不可思议的符号

那年国民革命军的势力还没有达到东南，东南二省间忽然起了内战。当战争最激烈的当儿，说也惭愧，那沿铁路线一带的人民，都把上海租界——当时租界还不曾收回——当作了避难的安乐窝，竟扶老携幼像潮涌似的赶来。战事发生在铁路线上，铁路的交通中断，一大半人都乘着长江轮船大绕圈子。上海人们心目中都盼望着内战早日结束，别的事都不足以引起他们的兴味。

一天下午，我也因着闲得无聊，特地往爱文路去访霍桑。我看见他穿着一件纺绸的短袖衬衫，两手插在那条白胶布的裤袋之中，嘴里衔着纸烟，在他的办公室中乱走。那藤椅旁边的地板上堆了不少书籍和报纸，却都杂乱纵横。此外还有半瓶汽水，一只玻璃杯子和一把蒲扇。

他一看见我，便立定了向我瞧了一瞧，说道："包朗，你这几天怎么样？不是觉得闷得慌吗？"

我笑了一笑，答道："你自己呢？"

霍桑皱着眉头道："唔，不必说！请坐。要不要饮一杯冰水？"

这天正九月十七日，气候的热度还常在华氏八十度①左右。

---

① 约 27 摄氏度

我走了一会儿，果真觉得很热。我坐下来饮了一杯冰水，心头略觉凉快些。

霍桑问道："你这几天可从事著作？"

我摇头道："我的手指好久没有接触笔管了，一切都在停顿中。"

"可是没有资料？"

"不是。资料尽有，只是不能镇住我的心思。"

霍桑连连点头道："就是啊。我此刻也仿佛置身在战地上面，被那枪炮的声响所震，竟也没有心思握管。"

我诧异道："什么？你也要打算从事著作？"

霍桑指着那藤椅靠手上的一本深红簿面的西装书，说道："我因为这几天没法排遣，就把这一本哈雷特所著的《罪犯心理》仔细研究了下。因此我得到了几种心得，很想写出来做一种参证。可是我又没法按捺我的心思。"

我点头道："这也难怪你。我早说过，在这种时期，虽然不直接受战事的影响，但到处都是停滞的状态。你近来当真没有什么惊奇的案子吗？"

霍桑摇头道："莫说惊奇，就是连寻常的偷盗劫夺，也没有人来请教。我在繁忙的当儿，对于平淡无奇的案子固然谨谢不遑，可是在这空闲无聊的时期，那自然应当别论了。"

我笑道："那么，此刻假使有人在电车上被一个剪绺摸去了一只藏着一张五元钞票的皮夹，特来请教你去侦探，你可也——"

霍桑忽作引耳倾听状道："唔，外面有什么人来了。"

我却不曾听得什么声音。莫非霍桑闲极无聊，只希望有人来请教，故而有这个幻想？可是我仔细一听，门口果然有交谈

的声音。接着便见施桂走进来，手里拿着一张名片。霍桑的眼睛里陡露异光，一边向我得意地瞅了一眼，似暗示我这来客一定是求教的主顾，一边却走前一步去接那名片。我也觉得若使是熟客，用不到这样投递名片。那么霍桑也许真有试一试身手的机会了。

霍桑说了一个"请"字，施桂便回身出去。我立起来瞧那名片，那名片的质地很坚致精美，片上印着"宋伯舜"三字，左下角另有"江苏松江"四字，却并没有职衔。

不一会儿，施桂已引着来客进来。那人近五十岁，身材瘦小，背脊已有些弯曲，眼睛近视，脸色白而无血，颔下留着短须，有几茎已经灰白。他身上穿着一件天蓝绉纱的夹衫，打扮明明是上流社会中人。他进得门来，拱了拱手，立定了向我们俩呆瞧，似乎不知道应向哪一个人说话。

霍桑先招呼道："宋先生，你可是要找鄙人？这位包朗先生是我的好友，你大概也早已闻名。请坐。我料先生见教的事情，不见得怎样严重吧？"他回目瞧瞧我，努一努嘴，似有些不能满足他的期望的样子。

我也觉得那客人脸上虽也带着些忧容，但并无惊惶之色。霍桑所料的大概相差不远。

来客一边缓缓地坐下，一边庄容答道："霍先生，你怎么知道不严重？我倒觉得很奇怪！……唔，很可怕！"

霍桑的眼光闪了一闪："唔，当真？什么事？"

宋伯舜从衣袋中摸出一张纸来，郑重地交给霍桑："霍先生，瞧瞧。这有什么意思？"

霍桑仰起了身子，把那折叠的纸接过，展了开来。我也凑过去瞧视。那是一张八行信笺。笺上画了两个交联的圆圈，如

"8"形，每一个约有银币大小，另外有一个9字，此外并没有什么字迹。霍桑把那纸在亮光处照了一照，又翻转来仔细瞧了一遍，脸上显出疑惑的神色。

他问道："这可是什么人寄给你的？"

宋伯舜摇头道："不是。"

"那么哪里来的？"

"是我自己画的。"

霍桑注视着他，似乎疑惑不解。但那来客不等他回答，又接着说话。

他说："我要请问先生的，就是这两个圈和一个9字有什么意思。你以前有没有看见过？"

霍桑忽向我笑道："包朗，你想我们还是空闲着没事好呢，还是猜猜这没意识的哑谜更有趣些？"他的身子又靠向椅背，两腿也交叠起来。

我作调解声道："宋先生，我揣测你的意思，似乎要叫我的朋友解释这纸上的符号，但你应得先把它的来历说明才是。"

这句话显然提醒了他。他又拱一拱手，忙点头赞同。

他说道："不错，我来告诉你们。这两个圈和一个9字，本是画在我的屋子门前的水泥阶上的。那是用白铅粉所画，大小和这个相仿。我照样画在纸上，特地来请教。霍先生，请问这究竟是什么符号？有什么意思？"

霍桑重新注视着来客，淡淡地答道："这两个符号，是画在你门外阶上的吗？那说不定是什么顽皮的小孩子随便画着玩的。你何必这样子大惊小怪？"

宋伯舜摇头答道："不是，不是。霍先生，我料想这里面一定有特别用意！请问这样交联的双圈，是不是什么秘密党的符号？我听说近来那班绑匪，非常可怕。霍先生，你以前可曾看见过这样的符号没有？"

霍桑不即回答，但用眼睛默默地看着宋伯舜。我见那人的容色严肃，眼睛里含些恐怖，绝不像是儿戏的事。

霍桑说："既然如此，你姑且说得明白些。你住在哪里呀？你所以到上海来，大概是为避兵乱的缘故吧。"

宋伯舜点头道，"正是。我到这里还只两个星期。起先住在东大旅社，后来因着开支太大，听说山海关路有新造的屋子才刚落成，便去租了一宅。那里共有三十宅新屋，我住的是第七号。"

我不禁接口道："不错，那都是单幢的西式屋子，门口靠近马路。"

宋伯舜应道："是啊。我住进去了三天，本是相安无事。谁知昨天十六日早晨，我吃过早饭，在门口闲立一会儿，忽见水泥阶上的一旁有这两个符号。我起先也不以为意，和先生一样的见解，以为是过路的顽皮孩子画在那里的。我便叫我的仆人根虎抹掉了。到了昨天晚上，我在楼上靠马路的前房中坐下。一会儿，我偶然揭起窗帘，向马路上一望，忽见一个黑影子站在我家的门前。那人似乎正向我家的前窗探望着，一见我揭起窗帘，忽然拔足奔逃，一转瞬便即不见。当时，我已觉得微微惊异，不料到了今天早晨，那同样的符号竟又在水泥阶上出现了！"

霍桑听了这几句解释，已不像先前那么冷淡了。他略略坐直了些："这一次在阶沿的什么地方？"

"在阶的右侧，和上一天发现的所在相同。"

"莫非你的仆人上一天没有抹掉，故而仍留在那里？"

"不。昨天我吃过饭后，曾亲自到那里去看过，已经没有影迹。并且今天早晨所发现的符号，和昨天的略有不同。那两个交联的圆圈虽是一样，但那个 9 字却已改作了 10 字。"

霍桑更挺直些身子，沉吟了一下："你以前可曾接到过匿名信等类？"

"没有。"

"可有什么陌生的朋友造访过？"

"也没有。"

霍桑又一度沉吟："那么你家中有多少人？"

"除我们夫妇俩，有一个小女和一个小儿，还有寡居的舍妹也和我们一同避难来的。"

"除你以外，没有别的男子了吗？"

"没有。因此我特地雇了一个男仆陪伴热闹。他就是我说起的根虎。"

"这根虎是你在这里雇用的吗？"

"是的，他是我的一个朋友推荐给我的。"

"你在这里有多少朋友？"

"不多。一个是我的同行，名叫朱信甫，是大成银楼的经理。根虎就是在银楼里做过工的。还有两个，一个姓张，一个姓王，都在南市米行里面工作。但这两个人，自从我到了上海以后，只会过一面。他们并没有到我新寓里去过。"

"那个姓朱的可曾来过？"

"也没有。"

"这样说，你迁入新寓以后，竟没有人造访过？"

"是，当真没有。只有隔邻八号里的黄老先生，到我那边去谈过两回。他是扬州人，以前做过知事，也是来避难的。"

霍桑蹙紧了眉毛。他把交叠的右腿从膝上放了下来。他的右手摸着下颏；左手的手指兀自在那藤椅边上弹着，似乎一时也摸不着头绪。我也推想不出这两个符号究竟有什么用意。是没意义的吗？但据来客所说，接连写了两次，并且数字不同，显见不是偶然的事。那么，有什么用意呢？有什么人和他恶作剧？但他不是少年。他的模样非常严肃，在这里相识的人不多也绝非事实。莫非当真有什么匪党要向他勒索吗？但这种方式也太诡秘了，我从来不曾听说过。

霍桑又突然问道："你觉得你家的仆人是个什么样人？"

宋伯舜道："你问根虎吗？他很可靠；信甫荐给我时，也说他诚实。况且那阶上的 9 字和 10 字，写得也很圆熟，绝不是像他这样的粗人写得出。"

"这符号发现以后，根虎可曾有什么话或表示过什么意思？"

"没有。那第二次的符号，今天早晨还是我自己抹去的。他也没有瞧见。"

霍桑脸上又现出失望的样子。他把那张符号纸丢在书桌上面，低垂了头，目光瞧在他的白帆布的鞋尖上面，那鞋尖却不住地在那里动着，可见他此刻也像我一样地困在迷阵之中。我暗忖他起先不耐闲居，此刻有了事情，偏偏又如此幻秘，一时无从捉摸。我又听得霍桑高声问那来客：

"你不是说有一位千金吗？"

"是啊。"

"伊的卧室是不是靠马路的？"

"正是，伊和舍妹同房间的。"

"伊几岁了？"

"十四岁。"

这答语又使霍桑的眼光垂下了。少停，他又问道："那么，令妹呢？"

宋伯舜道："伊今年四十四岁，小我两岁。但先生问起她们，有什么意思？"

霍桑似乎没有听到。他的问句撞了壁，低着头默然不答。宋伯舜似乎觉得不耐。

他道："霍先生，我的来意不在小女，而在小儿身上。他今年才六岁。我在松江的时候，早听得上海的绑匪非常猖獗，因此我一看见这奇怪的符号，就不免暗暗吃惊。但这件事还凭空无据，我便未去报警。我素闻先生的大名，善给人家解决疑难，故而冒昧来求教。霍先生，你想这事究竟有没有危险？"

霍桑从藤椅上立起身来，走到桌子面前，从一个大水瓶中倾了一杯冷水，举起来一饮而尽。他又走到窗口，挺一挺腰，呼了一口长气。歇了一会儿，他才回头来答话：

"宋先生，我很抱歉。此刻我实不能下什么断语。你姑且忍耐些，静瞧着再有什么变动没有。如果有什么可疑的情形，或收到什么信札之类，你就差一个人来报告。我再给你想法。"他顺手将那书的符号，从桌面上拿起，折好了还他。

宋伯舜半信半疑地问道："霍先生，你想不会有什么危险吗？"

霍桑含着笑容，作安慰声道："'见怪不怪，其怪自败'这两句古话，在某一种局势下也用得着。你请放心吧。"

宋伯舜点了点头，才缓缓立起身来，又准备向我们俩拱手。

霍桑忽止住他道："慢。这发现符号的事，你可曾和什么人谈起过？"

宋伯舜道："没有，连内人都没有知道。"

"那很好。你此刻回去，也不必多说，只等一有什么动静，立即告诉我。"

"好。隔壁黄家有电话，如果再有什么变动，我立即可以打电话报告先生。"

霍桑送宋伯舜出去以后，便回到藤椅上，开始烧吸他的纸烟。他的目光垂下，烟雾的吐吸也缓慢而有节奏。他既静默无语，我也不便开口。我防他正在运思，开口也许会乱他的思绪。

一会儿，他忽仰起目光来，说道："包朗，我老实说，这个问题看起来似乎平凡无奇，可是我竟无从索解。这倒是我生平第一次的经历！"

我答道："这事真不可思议。我也茫无头绪。"

霍桑努力地抽吸了一会儿烟，又向我说："包朗，你记述我的案子已经不少了，但失败的却没有几桩。这一次也许是我的大失败了。"

他立了起来，在室中往来踱着。他的纸烟吸了几口，还剩半截，便随手丢在痰盂里面。我见他这种样子，很想找几句譬解的话说，却竟无从说起。天色已是不早，我只得起身告别。

他送到我门口，说："包朗，明天见。你明天如果没有事，我们再可相见。据我意料，这一件奇怪的事情绝不会就此中止的。"

我点了点头，二人分别回家。我觉得他的最后一语，分明预料这案子明天就要有什么进展。但进展的情形如何，霍桑也不能预知，我自然更不必耗费脑力。

一粒珠

下一天，十八日早晨九点钟时，我果真接得霍桑的电话。我以为是那奇怪的符号又一度出现了，却不料是另一件案子。前几天霍桑正闲得不耐，现在却接一连二地发生案子，霍桑也可以说是聊以慰情了。

霍桑向我说："你别误会。这不是山海关路的案子。刚才租界警署的侦探长王良本打电话给我，说大南旅社一百〇三号房中出了一件窃案。那人认识几个机关中人，情势上比较吃紧些。他觉得没有头绪，所以叫我去瞧瞧，我知道你也闲着，不如一同往那里去走一遭。你直接往浙江路和福州路转角的大南旅社去吧。我现在也就动身哩。"

这电话是从他寓里打来的，显然他也才刚得信。我急急戴了草帽，雇车向浙江路大南旅社行进。我到的时候，恰巧霍桑的车子也才刚停在旅社门口。我和他招呼了一声，便一同进去。

在这个时期，上海旅馆的生意真是利市百倍，热闹极了。无论那旅馆主人怎样贪心，趁火打劫地把寄宿费抬高，那些避乱寄寓的人们为着要保全他们的生命，依旧是纷至沓来。任何旅馆都挤满了人，甚至后来到的，即使愿多出高价，也没有容足之地。因此引起了旅馆老板们无厌的贪欲，造成了一种"浑水摸鱼"的心理——这是战争中杀人流血以外的最严重的损失。我们进了旅馆，见旅客们憧憧往来，语声也喧嚣聒耳。但这些人的脸上普遍都显着些仓皇不安之色。

体格魁梧而常穿着玄色长衫的王良本从账房里出来，分明他也正在那里打探。他见我们，便走过来招呼。

霍桑问道："你说是件窃案？"

王良本应道："正是。"

霍桑低声道："损失可大？"

王良本皱眉道："据他说竟是无价之宝！"

霍桑似微微一震，问道："那是什么东西？"

王良本道："单单失了一粒世传的珍珠，故而没有价值。其实据他所说的大小，至多也值得一二千元罢了。

王良本摸出一张纸来。纸上绘着一个小圈，说是失主所绘的珠样。我见那珠样足有大黄豆般大小。

王良本用手指着朝东一面的楼梯，说："他们住在楼上。我们从这一部楼梯上去。"

原来那里有两部楼梯：一部通浙江路的门，一部通福州路的门。我们就从那靠浙江路的一部上去。当我们上楼时，王良本又把他所知道的告诉我们：

"这人姓姜，名叫智生，五天前从常州逃来。他从前在北平做过什么金事。此番共有四人，一个是他妻子，一个十七八岁的儿子，还有一个年老的女仆。昨天晚上，老夫妻俩和女仆一同前往戏院，只有他儿子留在寓里。今天早晨，那姜某的妻子偶然开箱，忽然发现失珠的事。"

霍桑只默默记着，并不答话。我们上了楼梯，王良本便把我们领到一百〇三号室前。一会儿，我们便推门进去，王良本又给我们介绍。

那姜智生是一个矮短身材的大胖子，穿一件宽大的半旧深青华丝葛夹衫，年纪在四十左右，高鼻圆目，额下无须，头顶剃得光光，加着他那多肉的面颊，望去很像坐镇山门的弥陀。不过那弥陀是常常开口含笑，表示着皆大欢喜的本色，这位姜智生的脸上却绝对没有笑容。我又瞧那位夫人，年龄略觉小些，乌黑的眼珠，白白的皮肤，丰韵犹存。伊穿一件湖绸的夹袄，下面系着裙子，装束上还带着内地色彩。伊本坐在床头，见了我们三个人一同进去，略略仰了仰身子，似还有些含羞躲避的样子。靠近伊的旁边，有一个十七八岁的少年，面容白皙而韶秀，眼睛灵敏，显见还没有脱离学校时期；但身材已很高大，若和他父亲比较，至少要高过两寸。他坐在床边，身上穿着一件淡灰湖绉长衫，非常整洁，手中还执着一本小说。

我们和姜智生寒暄了几句，大家坐定，霍桑便开始问话。

他道："我听得你们失去了一粒珍珠。可知道在什么时候失去的？"

姜智生道："大概是在昨夜我们去戏院的时候。据内人说，昨天下午，似乎还见那箱上的锁锁着。今天早晨开箱，那锁虽仍扣在环上，却并未锁拢，因而才起了疑心。伊打开箱来一瞧，那珍珠果已不见！后来我们向各处搜寻，连各人的身上都已查过，毫无影踪。"

姜智生立起身来，便把床后的一只朱红漆皮箱移出来些，开了箱盖，从里面取出一只象牙的小匣。匣盖上镂刻着盘龙，十分精细，里面还衬着一块血色的缎子。

姜智生又说："那粒珠子就是放在这匣子里的。我们自从常州动身以后，只在轮船中开过一次，看见珠子仍在匣子里。"

霍桑俯身瞧瞧箱子上的锁，接嘴道："你们也是乘长江轮船来的吗？"

姜智生点了点头。

霍桑又道："你在船上开匣瞧珍珠的时候，有没有旁的人瞧见？"

"没有。我是很小心的，当然不敢露眼。"

"你从那一次瞧了以后，直到今晨发现失珠，这中间并没有再瞧过吗？"

"当真没有。"

"那么，你怎么知道不是在别的时候失窃，一定是在昨天晚上失窃的呢？"

"因为这箱子常在我们的身旁，没有离开我们的视线。只有昨天晚上，那箱子才有失却看守的时机。"

"我听说你们往戏院里去的时候，少君仍留在寓里，是不是？"

"是的。但他也离开过一会儿的。"他回头瞧着那少年，"宝麟，你昨夜里究竟怎样，仔细些说给这几位先生听听。"

我的目光也跟着瞧那少年。他低垂着眼光，有些瑟缩不宁，显见是一个没有阅历的孩子。

霍桑婉声问道："你昨夜虽没有往戏院里去，但可曾出去过？"

少年答道："我没有出去。我因为有些头痛，故而留在房里。但当我躺在床上的时候，忽听得下面有一阵子惊乱声音，疑心是失火。我跳下床来，奔出去瞧。我走到楼下，才听说捉住了一个摸袋的小窃，因而喧闹起来，并非失火。接着我便也回房间里了。"

"你下去了多少时候？"

"不多，大约五六分钟。"

"你从这里奔出去时，房门可是开着？"

"不，我顺手拉上的。"

"回来时怎么样？"

"我记得也照样虚掩着，并无变动。"

"你进来以后，可觉得室中有什么异状？"

"完全没有。因此我绝不觉得是失窃。"

霍桑交抱着两臂，沉吟了一下，继续问道："你以后曾否再出去过？"

姜宝麟摇头道："不曾。我重新上床，不久便睡着了。"

"你睡时可曾把室门闩上？"

"没有。但我睡时并不怎样酣熟。因为我有些头痛，时常反侧。如果有人开门进来，我一定会惊醒。"

霍桑又低垂了头，默默地寻思。王良本仍坐着不动，也不插口，目光却在这几个事主脸上暗暗地打量。

一会儿，霍桑又仰起头来，向姜智生道："这箱子的钥匙是谁执管的？"

姜智生用眼睛瞧着他的妻子，答道："那是内人管的。"

那妇人不等霍桑发问，先开口答道："钥匙常在我的身上，从来没有离开过。"

霍桑道："大人到了这旅馆以后，可曾开过箱子？"

伊疑迟地答道："箱子是开过的，不过我都是马上关好的。"伊顿了一顿："有一件事，我不知道有没有关系。"

"唔，什么事？"

"昨天有个女人来推我们的房门，看见了我，说是走错了房间，就退出去。"

"走错房间是常有的事。以后你可曾再看见过伊？"

妇人摇摇头，向霍桑瞧瞧。伊的唇吻微微张动，好像再要说什么话的样子，却又低下头去，顿住了不说。

霍桑忙问道："姜夫人，你还要说什么？"

妇人吞吐地说：“还有一件事。”伊疑迟了一下，忽而面向着伊的丈夫，说：“在我们快要上岸的时候，你开了匣子瞧珠子。你虽觉得没有别的人瞧见，其实那时候我看见有一个人从我们的舱门口走过。这人还探进头来瞧过一瞧。”

姜智生答道：“当真？我却没有觉察。”

妇人道：“你那时背向着舱门，自然瞧不见。”

霍桑接口道：“那么据你想，那个人当时有没有瞧见姜先生手里的珠子？”

伊摇头道：“这倒不知道。但我看这个人身材高大，面貌也很粗黑，不像个正经人。并且他后来似乎也跟着我们到这旅馆里来。”

霍桑的眉毛不禁掀动了一下：“喔？你怎样知道的？”

妇人道：“昨天午后，我出去买东西，回旅馆的时候，看见一个人从里面出来。这人的身材状貌，恰像登岸那天探头到我们舱里来张望的人。”

霍桑道：“你瞧清楚没有？就是那个人，或者只是相像？”

伊忽又垂下了目光，迟疑道：“这个我也不能确定。因为我当初并不曾注意，现在想起来，的确很相像。”

王良本自从入室以后，除了尽过几句介绍的义务以外，始终处于旁观的地位，默不发话。这时他忽禁不住插口：

“这一点也可能的。我刚才问过账房，在十二日那天，乘新兴长江轮船来的客人，为数不少。

霍桑缓缓点了点头，应道：“唔，这固然也是一种疑点。不过据我看，这一粒珍珠的遗失，范围不见得怎样大——换一句说，我相信这珠子的不见，绝不是外来的窃盗干的。”

这是一句露骨的断语。我不知霍桑有什么根据。但这句话确有力量，竟使室中的几个人一时都静默起来。大家都呆瞧着霍桑，似乎都急于要听他的下文。王良本的眼睛骨碌碌地转动。我也注视着我的朋友，并不例外。

霍桑的目光向室中打了一个圈子，忽又问道："你们不是有一个女仆的吗？伊在哪里？"

姜智生道："伊刚才出去探望伊的亲戚去了。"

"伊可是这里的本地人？"

"不是。伊是我从常州带来的，已在我家做了好多年。伊有一个姐姐，也在这里做人家的用人。今天早晨，伊的姐姐打发了一个人来叫伊去。霍先生，你可是疑心伊？"

"这话我还难说。"

"那么，先生有什么根据，竟说这粒珠子不是外来的偷儿偷的？"

"我觉得这案子有几个可疑之点：第一，失去的只是这一粒珍珠，别的没有缺少；第二，那珍珠放在皮箱中的象牙匣中，那人却取珠弃匣；第三，箱子上有锁，却并无撬破的痕迹。这种种都足见不是寻常外来的窃贼办得到的。"

姜智生作诧异声道："如此，你可是说……"

霍桑忽接口道："我以为这窃珠的人，至少在事前看见过这珠子，并且知道它藏在箱中。"

这几句解释和我的意见恰合。我瞧种种的情节，分明那人的目的很单纯，只在这一粒珠子，的确不像外贼。

姜智生说："这样说，知道这珠子的人并不限于我家的女仆。我的侄儿宝祥也知道的。前天他到这里来瞧我们时，还说起过这珠子呢。"

霍桑点点头，他的眼光闪动了一下，仿佛已得到了一条线索："他怎么会凭空说起这粒珠子？"

姜智生道："这一点在外人看来，固然不免要诧异的，其实这里面还有一段小小的历史。当先父临终的时候，取出两粒珍珠，一粒给他的长孙，就是宝祥，还有一粒给小儿宝麟，指定作为他们俩订婚的聘物。宝祥的一粒大些，宝麟的一粒小些，但颜色不同。宝祥的圆润而纯白，光彩很好；小儿的一粒，却略带红色，另有一条血红色的丝纹，很是别致。但宝祥的一粒，据说已经失落了。我们家传的两粒珍珠，现在只剩了我们的一粒，所以这一粒愈见宝贵。宝祥前天所以问起它，大概就因着这东西是我们姜家唯一的珍物，他也很关心的缘故。"

霍桑点头道："唔，他怎样说起的？"

姜智生道："他问我有没有将珍珠带出，或是仍留在常州。我对他说带出来了，内人还告诉他就在这一只箱子里。"

王良本又插口道："这番事情你刚才没有告诉我啊。"他的脸上带着抱怨的神气。

姜智生道："王先生，你没有问起，我自然也想不到。"

霍桑道："这番事情的确是值得注意的。令侄后来可曾来过？"

姜智生道："他本约我昨天晚上一同往大江戏院去瞧戏的。我等他到八点半钟时方才出门，他却失约不来。"

"他住在哪里？"

"他在虹口新大面粉公司里办事。"

"他是本来住在上海的？"

"是的。他对这里的情形很熟。这旅馆也是他替我预先定下的。老实说，我往日难得到上海来，一切都不在行。我内人和小儿，这还是第一次来呢。"

霍桑点点头，似乎认为所问的已告一个段落，便缓缓立起身来。他回头向良本附耳说了几句，王良本便也立起来向姜智生说话。

他道："现在我打算先去瞧瞧令侄。你女仆的姐姐在什么人家帮佣你可知道？"

姜智生寻思道："伊说是说过的，我可记不得了。"

他的妻子忽应道："我记得的。在新闸路和康里七号，一家姓沈的人家。"

王良本在日记上记了下来："那仆妇叫什么名字？"

妇人道："伊姓周，我们都叫伊周妈。"

霍桑已取了草帽准备出室，我也照样跟着。他在离室以前，又立定了向姜智生安慰了一句。

他说："据我看，这件事如果迅速进行，大概还有珠还的希望。你姑且耐性些，我们一得消息，便会来报告。"

姜智生肥满的脸上露出一丝笑容。他连连作揖道："但愿如此。请霍先生费些心力。如果成功，一定重谢。"

霍桑谦逊了一句，便和王良本与我一同辞别出来。我们下楼梯的时候，霍桑向王良本发问："刚才你在账房中探问什么？"

"我查得昨夜九点钟时，楼下果真捉到一个小窃，确曾纷乱过一会儿。"

霍桑不答，一直到走出了旅馆门口，才重新向王良本说话：

"你姑且先向宝祥的一条线路进行。成效如何，请通知我一声。我料这一件案子并不怎么难办，不出两天总可以解决。"

霍桑向王良本点一点头，拉着我回身而行。我们并肩走了几步，霍桑忽说出几句相当吸引我的说话：

"包朗，你若没有事，不妨到我寓里去吃午饭。昨天那个宋伯舜的奇怪的案子已经有了一种新的发展。你若使愿意听听，我们回寓内去细细地谈。"

意外波澜

宋伯舜的秘密符号的事情，本来盘踞在我的脑海中，我正苦满腹疑团，无从打破。这天早晨，凭空里发生了这件失珠案子，岔了开去，我没有机会查问。现在他说这件事已经有了新的发展，我自然愿意知道。所以我和他一回到了爱文路寓所，彼此坐定，烧着了一支纸烟，我就禁不住发问。

我道："霍桑，你说的发展，究竟怎么样？"

霍桑喷了两口烟，答道："这件事果真蹊跷！那符号当然不是偶然画在那里的。我料有什么人在晚上偷偷地去画的。宋伯舜在十六日晚上所瞧见的那个在他门口徘徊的人，大概就是画符号的人。当宋伯舜瞧见他时，那第二次的符号必定已经画就，故而那人虽仓皇逃去，符号却依旧在昨天早上被发现。但这个人画这符号究竟有什么用意，我委实推想不出。所以只有先设法探明这画符号的人的踪迹，才有解决的希望。那个人已接连去了两夜，难保第三夜不再去。我又料那符号后面的 9 字和 10 字，也许指的是时间。因此，我昨夜里打发了一个人，特地往山海关路宋伯舜的屋外去守候。"

"唔，你的猜想很合理。结果怎么样？"

"我派去的那个全福，守到十点钟的时候，果真看见一个男子走到宋伯舜的屋前，立定了向楼窗上探望。那时候楼窗上映着一个女子的影子。那男子在门口往来了两次，似乎没法可施。他忽而走上阶沿，偻着身子，要推门进去的样子。正在这时，那门口的男子，忽似听得了里面的声音，便回身退下阶沿，匆匆地沿来的方向回去。全福正待尾随，忽见楼上的电灯熄灭了，楼下的前门突然开了，有一个中年人立在阶上，向左右望了一望，才重新退了进去。这个人大概就是宋伯舜。当时全福微微一惊，等他回身追赶，那男子已转弯不见。"

我惊问道："他最后也没有追到？"

霍桑皱眉道："当时的情形，固然怪不得全福，但他究竟也欠灵敏些。他追到转弯角时，看见两三辆车子向一南一北分别地行进。他一时不知跟哪一辆好，便错过了这个机会。"

"唉，可惜！不是劳而无功空欢喜一场吗？"

"还好。据我料想，这个人既不曾知道有人守伺，大概还要来哩。这件事尽有未来的变化，你耐性些等着吧。"

我略想一想，乘势问道："那件失珠案子，你可有什么见解？你想这两件案子既然在同时发生，你可来得及分头进行？"

霍桑道："今天这件案子平淡得很。少停我等王良本来报告以后，便可指示他机宜；凭他一个人的力，已尽足破案。我已经说过，这案子的范围原是很窄的。现在我所注意的，却在宋伯舜的一案。这里面的确有些玄秘，值得我们的注意，并且——"

滴铃铃！滴铃铃……

霍桑突地跳起身来，奔到电话箱前，赶忙拿起听筒。

他说："这里是霍桑侦探事务所。你哪里？……宋伯舜先生？……好，好。什么？……一粒珠子？喔，你竟不知怎样来的？怪事！……真奇怪！……好，我立刻就来。你把珠子保存着。"

我见他回转身来的时候，他的眼睛中异光闪烁，又像得意，又像惊异。

他大声说："包朗。这件事真是太不可思议！据宋伯舜说，他即刻得到一粒很大的珠子，竟不明白它的来由。你想奇怪不奇怪？"

事情真出乎意料！刚才姜智牛家失去了一粒珠子，宋伯舜却得到了一粒。这两件事情可是有关合的吗？但一失一得，是不是真个关合？这里面究竟有什么玄妙呀？

我们乘了汽车到山海关路时，已过十一点半钟。车子开到那一排新造的洋房附近，便停下来。霍桑且走且瞧那洋房的门牌，他走到一宅门前，才立停了说话：

"这就是哀（I）第七号。"

霍桑走上阶沿，引手叩门，里面却不见有人答应。霍桑有些怀疑，引耳听了一听，便推门进去。那门竟虚掩着没锁。我们在门外站了一站，就走到里面。我见迎面有一条短小的甬道，甬道尽端接着一部楼梯。靠右手一面有一扇门，也静悄悄地关着，似乎里面就是客室。霍桑又在这客室的门上用指弹了两下，竟也没有应声。霍桑怀疑的目光演化而成惊异。他的双目圆睁，脸上的肌肉紧张。我也暗暗地纳罕。他伸手在衣袋中摸了一摸，略一踌躇，便握着门钮用力一旋，直推进去。我也急急跟在他的后面，以备有万一的不测。不料我们进门以后，四周一瞧，客室中依旧空虚。

霍桑侧着身子，向后面望了一望，作惊讶声道："唉！在这里！"

他慌忙奔到一只沙发的背后。我也跟着过去，看见有一个人直僵僵地躺在地上，眼睛紧闭，嘴里像含着什么东西。这人穿一件旧式的天蓝绉纱的夹衫，身材瘦小，正是那宋伯舜。

奇怪！宋伯舜已经死了？这乱子真闹得大了！

霍桑早已屈着一膝，在宋伯舜的额上摸了一摸，又从他的嘴里取出了一块团结的手巾。他又凑着耳朵，在宋伯舜的胸口听了一听。

他低声道："还好，他只是惊晕，并不碍事。你快去弄些冷水来！"

我答应着，就从桌子上取了一只空杯，又从一只茶几下的水壶中倒了些水，授给霍桑。霍桑给宋伯舜解开了夹衫的纽扣，用手在他的身上按摩，又屈动他的上肢。他用冷水在宋伯舜额上淋了一会儿，便见他的眼睑缓缓地张动。再过一会儿，宋伯舜已经张开眼来，向四下乱瞧。

霍桑安慰道："宋先生，不用害怕。没有事了。"他说着，就缓缓地扶宋伯舜坐起。

宋伯舜的眼光仍显着呆木。他先向霍桑凝视了一会儿，又向我瞧瞧，顿了一顿，方始开口：

"霍先生，我可是做梦？"

"不是。你只是受了些惊，晕过去了一会儿。"

宋伯舜用手揉揉他的呆木的眼睛。他连连眨了几眨，似乎才记起了方才的经历。他忽迅速地运动着两手，在他的衣袋中乱摸。

他惊呼道："哎哟！我的珠子呢？"

霍桑仍低声道："你不用寻了。大概已被什么人劫去了。现在你能不能站起来？"

我和霍桑二人一同将宋伯舜从地板上扶起，又把他扶到沙发椅上。他坐稳以后，神智上好像更清醒一些。

霍桑问道："你们家里的人都在楼上吗？"

宋伯舜点头道："是的，这件事没有惊动他们，总算还好。现在我们轻声些谈。"

霍桑道："你的根虎呢？"

宋伯舜道："他已往警察局里去了。"

"为什么？"

"我发现了那粒珠子，知道不妙，故而一边打电话通知先生，一边打发根虎往警察局里去报告。"

"唔。这珠子怎样来的？你说给我们听听。"

"那珠子的来去都很奇怪。约莫在半点钟前，根虎忽送进来一个淡蓝色的信封，封面上并无字迹。他说他偶然瞧见前门上的信箱中有这一封信。他不知是什么人塞进去的，也不知道给谁，故而取出来给我瞧。我一接那信，看见信封的中央凸起了些，早有几分疑心。我拆开来一瞧，内中有一个蓝绸的小包，更是莫名其妙。我再将小包打开，却是一粒精圆的珍珠，足有我这指甲般大小。"他翘起了他的食指给我们瞧。

霍桑点了点头，又问道："另外可有什么字迹？"

宋伯舜摇头道："没有。除了那珠子以外，信封中并没有片纸只字，信封上也没有一个字迹，不知是谁给谁的。这就是最可疑的一点。"

"那时你怎么样？"

"我没有买过什么珠子，更没有人会将这重价的珠子赠送给我；并且赠送也绝不会随便塞在我的信箱中的。我便想到这定是有什么歹人，实施栽赃图害的计划；或是有什么强盗劫得了这粒珠子，一时有什么危险，故而利用我门上的信箱暂时窝赃。总而言之，这一定是祸不是福！"

"这推解很近情理。因此，你便打发你的仆人去报告？"

"正是。我一边差根虎去，一边到隔壁借打电话通知你。"

"你打电话时，珠子放在哪里？"

宋伯舜道："在我的身上。我打完电话回来时，就坐在那只椅子上，重新从袋中摸出那珠子来细瞧。可是我才刚摸出那个信封，还没有将珠子取出，偶一抬头，忽见有一个戴黑眼镜和龙须草帽的男子，立在那个门口。我不禁一愣，这个人怎么这样直闯进来，并且举步很轻，未免鬼鬼祟祟。

"那人向我点一点头，低声说：'对不起。我要请问一个姓。'他且说且走近我的身旁。

"我更觉惊疑。这个陌生人怎么闯到人家屋里来问姓？我早已立起身来，一边将那藏珠子的信封折好，打算重新放入袋中。不料那个人抢前一步，嘴里低低地惊呼：'那不是一粒珠子吗？'

"我知道不妙，急急放在袋中。可是我的右手还没有从袋中伸出，他便举起一拳，直向我的面上打来。我没有防备，但觉一个头晕，便跌倒下去，以后便完全没有知觉。若没有先生们来救，我也许不会醒转来了。"

霍桑敛神地听着，把左手曲按在右腋下面，右手却抚摸着下颏，目光注在地板上面。宋伯舜用手抚摩着自己的额角，瞧着霍桑，等待他的批判。

一会儿，霍桑缓缓问道："你可记得那人穿什么衣服？"

宋伯舜道："似乎穿一件竹布长衫，上面罩着一件黑色马褂，仿佛是羽毛纱的。"

"有多大年纪？"

"这却不曾注意。他戴着眼镜，但似乎比较年轻。"

"什么口音？"

"我记得是弯着舌头的国语。"

霍桑低头想了一想，又道："那人的身材是不是比你略略高些？"

宋伯舜似乎微微诧异，答道："是啊。霍先生，你怎么能知道？"

霍桑解释道："这是从他跨步的距离上知道的。我知道他穿的一双深口尖头的翻鞋，并且还新。你家的根虎不是穿毛布底的布鞋的吗？"

宋伯舜点头道："是的，是的。霍先生，你真了不得！"

他的眼光也和我一般，跟着霍桑的视线向地板上瞧去。那新漆的地板上面，果然有霍桑所说的两种足印。

宋伯舜又说："霍先生，你的眼光确实很灵。但你想那人起先既然把珠子从外面塞了进来，后来又从我的手里夺去，我先前所料的有人利用我的信箱暂时窝赃，不是合符这推想了吗？"

霍桑不答。他的右手依旧不曾脱离下颏，仍皱着眉头思索。

他答道："这话不容易回答。我觉得未必如此简单。"

宋伯舜道："你的见解怎么样？"

"我在搜集到事实证据以前，还不敢确信投珠的和劫珠的是否同一个人。"

"什么？假使不是一人，那人怎么单来劫我这一粒珠子？"

"不错。但进一步想，只需有人知道你有这一粒珠子，就也有起意来抢劫的可能。"

"那么，知道我得到这一粒珠子的人，只有根虎。但他已经往警察局去了。若说他勾通别人，也不能如此迅速。况且他如果有这恶意，起先尽可将珠子从中吞没，我原不知道，何必又多此一举？"

"你再想想，除了根虎以外，没有别的人知道了吗？"

"没有呀，连我的妻子都不曾知道——"

"慢。你在什么地方打电话给我的？"

"在隔壁八号黄家。"

"你和我通话时，可有什么人在旁边？"

这句话才提醒了宋伯舜。他的目光呆了一呆，似在追忆什么。他本来失血的脸上又加上了一层灰白。

他道："唉，我记得了。那时黄家的一个男仆恰在室中，另外有一个黄老先生的弟弟在窗口看报。我虽然没有直接告诉他们，但是我报告你的谈话，他们一定都听得。"他略顿一顿，又道："不过，他们这两个都是规矩人，不会干这种事。"

霍桑微笑道："话虽不错。但我们从事侦探的人，必须注意到事实的各方面，又须把事实作据，不能单靠推想，便贸贸然下断语。宋先生，我还有一句话。那一粒珠子可是带些红色的吗？"

我一听到这句，仿佛咽喉中的一枚骨鲠忽然吐了出来。原来我就疑心这两件事有相互的关系，想要发一句问句，抉破我的疑团。可是我处于旁观的地位，一时又没有机会开口。

宋伯舜似乎呆了一呆，摇头道："不是啊。那是一粒纯白的珠子。"

唔！扫兴！疑团还是囫囵的一个！

霍桑也微微一震，惊问道："纯白的吗？"

"是，纯白的。"

"你可曾瞧得清楚？"

宋伯舜伸出手掌来，说道："我放在这掌心中仔细瞧过一会儿。怎么不清楚？"

霍桑又进逼地问道："没有一丝红色吗？"

宋伯舜仍很坚决地答道："完全没有。"

霍桑忽略闭着嘴，垂落了视线，脸上现着失望的神色。我也暗暗地呼出一口气。

一会儿，霍桑继续问道："宋先生，你可认识一个姜智生？"

宋伯舜忽张大了双目，呆瞧着霍桑。他只摇了摇头，似乎莫名其妙。

霍桑又说："他是常州人，有一个儿子，名叫宝麟。"

宋伯舜连连摇头道："我完全不认识。霍先生，什么意思？"

霍桑仍自顾自问道："你虽不认识，譬如你的夫人和千金等，是不是——"

宋伯舜忽摇着两手，止住道："不，不会！我们并没有常州人的亲戚朋友。内人和舍妹等，更少相识的人。霍先生，你究竟是什么意思？"

霍桑忽放下手来，互相交搓着，笑道："对不起。这是没有关系的。我随便问问。"他又回过头来，向我笑道："包朗，我的脑子似乎因着闲废太久，有些糊涂了。我刚才的问句原是毫无根据的，只因急于求功，竟有这一番废话！"

我也笑着说："这也难怪。我也有这个意思。事实委实太凑巧哩！"

这时外面走进两个人来。那根虎报告了警局，已引着一个探目同来。那探目叫作李长庆，矮短短的身材，满脸粗麻，我们也约略认识。霍桑把案情的经过说了一遍，叫他设法侦查一个身材五尺以上，足上穿时式的绿皮底新鞋的少年。这探目倒也领教，连连答应了几声。霍桑又将地板上的一块团皱的白巾拾起来，展开一瞧，是一块纯素的充丝巾，且无记号，但还新洁。

霍桑将白巾嗅了一嗅，问宋伯舜道："这谅必不是你的？"

宋伯舜摇头道："不是。一定是那劫珠的强盗的。"

霍桑道："这巾上还带些香味，足证他是一个漂亮的少年。所以他身上所穿的衣服和戴的黑眼镜，一定不是他平常穿戴的，而是他临时借以掩饰用的。不过那顶龙须草帽和新鞋子，却不像是临时置备的东西。"他随手把白巾交给那探目，又道："你回去时，可把这层意见告诉探长。请他派一个人在这附近注意一下。"

那探目答应着走出去。霍桑又向宋伯舜问起昨夜的情形。据宋伯舜说，昨夜他预防那可疑的人再来，特地叫他的女儿悄悄地在楼窗上瞧着。相近十点钟，伊果真看见一个男人在下面张望。但等到宋伯舜下楼开门出外，却已不见人影。不过也没再发现那神秘的符号。霍桑又向根虎约略问了几句，也没有新的事实。

霍桑作安慰语说："宋先生，这件事你虽受了一番惊吓，但幸亏没有实际损失。你安心些。万一再有什么变动，我们一定会把那个人捉住，决不再叫你吃苦。再见。"

霍桑和我走到门外，他又在水泥阶上俯身瞧了一瞧，才乘了原车回寓。

两条线路

我这天的午膳是在霍桑寓里解决的。他虽有诚意，但我的胃纳却大打折扣。我因着这两件案子盘踞在我的脑中，迷离隐复，好像有一块石头塞在我的胸口。我们吃罢了饭，霍桑又吸烟深思。我从烟雾缭绕中，看见他的面容变幻不定。他忽而双眉紧蹙，狂喷烟雾，忽而微微点头，脸色又像春云乍展，显见他脑中的思潮正自起伏不宁。我不敢打断他的思绪，只好默自揣想。

这两件案子既然同时发生，又都和珠子有关，事既凑巧，显然是有连带的关系了。谁知那珠子的本身，偏偏两不相同；两方面的当事人又不互相认识，那又明明是两件案子。不过我记得姜智生说过，他的侄儿宝祥也有一粒珠子，颜色是纯白的。据宋伯舜报告，那粒白珠的大小，确比那姜家失去的一粒大一些。那么，宋伯舜所见的一粒，会不会就是宝祥的那粒？但姜智生说过，宝祥的一粒早已失去了，此刻怎么又会出现？即使没有失去，又怎么会用这样神秘的方式送到宋伯舜寓里去？并且送去了不久，为什么又重新劫回？这里面曲曲折折的情由，实在太离奇了！我想来想去，始终寻不出一丝端倪。

一会儿霍桑忽自言自语地说："三点多了。怎么王良本还不来？"

我说："你对于这一件案子莫非已有了成竹，等他来指示他吗？"

"你应说两件案子。不是一件。"

"唔，不错。那么你在这两件事上，都有把握了没有？"

霍桑微微点了点头："还说不上把握，但我已经拟成了一种猜想。"

我大喜道："好极！请你先说给我听听。我实在闷极哩！"

"也好。我们先谈宋伯舜的一案。据我料想，宋伯舜所假定的陷害和寄赃两种推想，都不能成立。"

"理由呢？"

"第一，栽赃图害，根本不能成立。因为宋伯舜在这里亲友很少，瞧他的样子，又不像会和人家结怨。退一步说，即使有人要想害他，但这计划也太笨拙了。试想像宋伯舜这样胆小如鼠的人物，若说会干盗劫不法的勾当，谁会相信？"

"确实。第二种暂时寄赃的推想呢？"

"这一点我也仔细推想过了。若说有什么匪徒偷得或抢得了那粒珠子，因为觉得有警探的跟踪，或有其他危险，不能把珠子留在身上，因而就暂时寄放在一处，等到危险过后，再去取还。这原也是可能的事。不过这样的事有两个先决的前提应加注意：第一，他要寄放的地方，一定是拣稳妥而容易取回的。你想宋家的信箱，可算是妥当的地方吗？他后来重新取回，不是又冒过一次险吗？第二，那人因危险而移放赃物，一定是因着特殊的情形而临时发生的。但宋伯舜所经历的事情，却谁也不能说是临时发生的。因为前两天的两次神秘符号和今天的珠子，一定是有连带关系的。"

"你说得很透彻！这两种推想完全被你推翻了。那你自己的见解怎样呢？"

"据我看，这件事似乎是出于误会的。"

"误会的？什么意思？"

一个打岔又将我的疑团紧紧封闭了。外面匆匆走进一个人来，就是王良本。我见他汗流满面，目光灼灼闪动。他向我们俩点点头，仿佛一个小学生在一个困难的算学题上，经过了长时间的推索后已经差不多得到了答案，便不禁在他的同学面前显露一种洋洋得意的样子。

霍桑招呼了一句，问道："良本兄，失珠案已经破获了吗？唉！那贞是迅速。请坐，吸一支烟。"

王良本一边接了纸烟坐下，一边很得意地答道："霍先生，破获虽然还没有，但距离破获也不远了。"他且说且擦着火柴烧他的纸烟。

霍桑催着道："怎么样？"

王良本靠着了椅背，又把腿伸了一伸，缓缓说道："我自从和你们在旅馆门口分别以后，觉得这件案子有三条线索可以进行。"

霍桑动容道："唔，哪三条？"

"第一条，就是姜夫人所说的那个同船的黑面汉子。比较起来，这一条最不重要，故而还不曾进行。第二条，就是那个仆妇周妈。伊昨夜虽是一同跟往戏院里去的，但珠子的被窃是否确在昨夜，还不能证明，那么，这仆妇终日在一室之中，乘机起意，也未始不可能。故而我曾到过新闸路和康里去。"

霍桑有些不耐："唔，我料想这条路，你也没有走通。你不如就说第三条吧。"

王良本正在表示他办事的精细有序，却被霍桑从中打断，似乎有些不高兴。略停一停，他才答道："是的，我问过那个仆妇，当真也问不出什么。第三条，就是那个在虹口新大面粉公司里办事的姜智生的侄儿姜宝祥——"

霍桑又不耐地插口道："唉，你所有的线索，只有这三条吗？"

王良本沉下了脸："三条也够了啊。多了，反乱人的思绪，有什么意思？"

霍桑连连点头道："不错，不错。我也只有两条，还没有你多呢。"

王良本反问道："喔？你也有两条？哪两条呀？"

霍桑迟疑道："唔，这个……我想我还是先听你说。既然你说侦查的结果已将近破案，我的也许有错误。对不起，请说下去。你可曾见过那个姜宝祥。"

王良本点头道："见过的。我起初并未说明失珠的事情，假托是他叔父的朋友，顺便问他一声，昨天他为什么失约不去看戏。我带一个口信给他，叫他今夜再去。

"他果然深信不疑，率然地答道：'我昨夜去过的啊。'

"我一听这话，心里别地一跳，但脸上仍装作若无其事。我乘机问道：'你在什么时候去的？他们却等到你八点半钟才出旅馆。'

"宝祥答道：'我在一个朋友家里吃晚饭，耽搁了一会儿，去得略略迟些。我到旅馆时，约莫十点钟了。'

"我暗忖说话越发近了，便用反话逼他一逼。我带笑说：'你别说谎。你何曾到过旅馆里呢？'

"他辩道：'我确实去过的。还到过他们房里。'

"我仍含笑道：'当真？你可曾看见什么人？'

"宝祥道：'这倒没有。'

"我假意大笑道：'嗬！这可见你的谎话已露了马脚哩！'

"他大声道：'确实的。我推门进去，看见里面空空无人，才知他们都已往戏院里去了。房门既没有下锁谅必那仆妇还留着，但那时候伊已走出去，我也不等伊回来就退了出来，打算赶往大江戏院里去瞧他们。'

"我又道：'但你后来到底没有往戏院里去啊。'

"姜宝祥道：'不错，因为我刚出旅馆，忽而遇见两个朋友，被他们拉住了，一同往东明酒铺里去喝酒。起先我还打算陪他们略饮一会儿，再去瞧我叔叔。谁知被他们一杯两杯灌得

醉醺醺的，竟致失约没去。'

"他这一节谈话原是无心而出的。但在我们看来，不是已很明了了吗？"

霍桑听到这里，用两臂的肘骨支着藤椅的边，两只手的十个指尖互相交抵着。他沉着的脸上满显着专注的神色。

他说："这个人，原也是我推想中的线索之一。在这一条证明以前，别一条自然未便进行。现在你的意见怎么样？"

王良本道："我当时听了他这一番话，便知他进房的时候，必就在宝麟因着喧闹而下楼的当儿。那时宝祥看见房中没有人，也许一时起了歹意，便想窃取那粒珠子。他是本来知道藏珠的所在的，或是他身边有一个同样的钥匙，或是姜夫人开箱以后，一时粗心，没有把锁锁上，就造成了他的机会。其实那锁本是一种老式的铜锁，即使锁着，也不难设法弄开。那时他的举动一定很快，得珠以后，仍悄悄地退出，宝麟却还没有上楼。你知道那旅馆本有朝东朝南两部楼梯，故而两个人一上一下，他和宝麟到底没有撞见。那粒珠子，我想他一时还来不及销售。所以我已派人跟随在他左右，只要一知道那真赃的所在，就可以完全破案。"

霍桑低头沉吟了一下，才道："虽然如此，你还须谨慎些。你可曾打听他平日的品行怎么样？"

王良本仍有把握似的应道："打听过的。他平日喜穿喜吃，别的恶习却没有。但在上海社会，一犯了这'穿''吃'二字，无论男女，已尽足引到堕落的地步去。霍先生，你说是不是？"

"唔，这话很合情理。你可知道他先前所有的一粒珠子怎样失掉的？"

"那当然是他变了钱浪费掉的，后来却假说失掉的罢了。"

"你怎样知道的？"

"那原不难推想而得。"

"你没有问过他？"

"没有。我当时本想问他的，但一转念间，觉得因这一问，也许会使他疑心防备。这样，我们要侦查他的真赃所在，反而难了。"

"唔，你的步骤怎么样？"

"我那时仍不动声色，和他好好地分别，只悄悄地派了两个人监伺着他。据我料想，他不久便会把那珠子出售。我们只需查明他向来交往的人，就不难达到获得真赃的目的。"

霍桑不再问卜去，又低垂了头。大家都静默起来。我觉得王探长的见解太偏于直觉，推想多于事实，未必恰合实际。霍桑缓缓地摸出纸烟来吸着，似正在把王良本所得的线索仔细推敲。天色已渐渐就暝，马路上电灯亮了。夜神的势力也逐渐伸展到我们的谈话室里。良本看见霍桑突然静默，似有些忍耐不住，可是在这静寂之中霍桑忽自动开口了。

他说："内中有一个疑点很让我费解。"

王良本忙抬头问道："什么？"

霍桑道："就是那宝祥既已干了这样的事，怎么肯老实承认？你想他到旅馆的时候，既然没有一个人瞧见，何不一口抵赖落得干净些？"

王良本紧闭着嘴唇，默不答话。他注视了霍桑一会儿，才道："你可是说偷珠的不是宝祥？"

"唔。"

"那么这事是谁干的？"

霍桑又不即答，低着头沉吟。他的目光又移注到他的白帆布鞋的鞋尖，那鞋尖又似拍板般地在微微翘动。

良本又急不待缓地问："霍先生，你本说有两条线路。你说偷珠的究竟是谁？"

霍桑微笑着说："我所疑及的一个人，你们也许不会同意。"

"你说说看，到底是谁？"

"我很疑心那宝麟，这回事或者就是他弄的把戏。"

良本突然张开了嘴，十分惊异，连我也很意外。霍桑的声调虽平稳如常，但他的容色庄重，不像是说笑话。我知道他不会凭空发这样的断语，急于要听他的下文。王良本却抢先替我催促。

王良本问道："霍先生，你怎么会疑心宝麟？有什么高见？"

霍桑的答话又偏偏不巧地被阻了。那电话匣子忽又滴铃铃地响起来了。

霍桑立起来，拿起听筒听了一听，便对良本说："是你的电话。"他就将听筒授给良本。

王良本接着应答了几句，忽而面露诧异。他说："唔……真的吗？……那也很好！……我知道了。……我来告诉霍先生，请他就来。……再会。"

他将听筒一放，回头对霍桑说："这件事当真太奇怪！这电话是大南旅社姜智生打来的。他说珠子已经找到了——是宝麟那孩子拿出来的！"

一线之光

王良本电话中的消息义是出我意料的。瞧这情形，不但那个面粉公司里的姜宝祥不曾有窃珠的勾当，而且事实上那珠子也没有遗失，只是空忙了一场。那么这一回事果真像霍桑所说，完全是那孩子在里面弄把戏吗？但这里面的情形究竟怎样？这孩子做这事又有什么目的？

王良本撑着书桌站着，满现着懊丧的样子，悻悻地说："霍先生，假使你说的话不虚，那孩子未免太可恶。你想他这一种戏弄抱着什么目的？"

霍桑走到衣架面前，取下了草帽，答道："真相的揭露已经在眼前了。与其凭着推想暗中摸索，还不如直截了当地去问个明白。王探长，你可有兴再去走一趟？"

王良本摇头道："我已奔了一天，此刻打算经济些我的腿力。你问明白以后，通知我一声吧。"

霍桑点头道："也好。包朗，你陪我去一趟。回来吃夜饭，大概还不算迟。"

我们三个人一同出门。王良本独自回家，我和霍桑二人乘了汽车，往浙江路大南旅社去。车在进行时，我因着霍桑的解释一再受到打岔，便想利用这个机会，请他把断语的根据说一说。

我问道："霍桑，你怎么知道这回事是宝麟弄的花巧？"

霍桑道："我已经说过，我对于这回事本来有两条重要的线索。一条是那宝祥，一条就是这个孩子宝麟。关于宝麟的嫌疑有两点：第一，他的父母同去瞧戏，他单单不去，显见他有所图谋。因为我瞧他的精神活泼，明明是一个好动厌静的孩子，可见他昨夜的头痛是推托的言辞。否则，像他这样的少年，即使当真头痛，也决不致因此阻止他的游兴。第二，我瞧他的母亲似乎很疼爱他，竭力想把窃珠的事情推在别的人身上。伊所说的走错房间的女人和上岸时的一个身材高大的黑脸的人，都是这个作用。因此，伊虽不致和那孩子通同，但也许已经怀疑到那孩子曾用过伊的钥匙，故而暗暗地怀着鬼胎，一边替伊的儿子担忧，一边又设法移祸。除此以外，在我们侦查的时候，我看见宝麟常偷偷地斜眼瞧着我们。不过我当时想不出他有什么目的，后来又引出了一个可疑的宝祥，故而我不便就马上发表。"

"那么，他究竟有什么目的，你此刻可已明白了没有？"

"还难说定。这孩子初到这里，时日很短，不像会有什么嗜好，不致偷了去变钱。或许这里面关涉一个女子，也未可知。好在底蕴如何，我们不久就可以明白。"

我想了一想，又问："照你说宝麟先前既已藏匿了珠子，此刻他为什么又自己拿出来？"

霍桑道："那是很容易明白的。他本不防他的父亲会发现失珠的事；即使发觉，料想也不会去报告警局。现在他看见弄假成真，事情闹大，他究竟还胆小，自然便顺风转篷了。"

这时汽车已到达大南旅社，我们下了车一同上楼，直向一〇三号走去。我们刚到门口时，霍桑正要举手敲门，忽停了脚步，又反手摇着作势，似叫我不要前进，我立刻站住了。室中明亮的灯光，从门上面的气窗中透露出来。里面有高大的语声，还夹着怒骂声和举拳击桌的声音。我听得出那声音就是姜智生：

"真不长进！真不长进！这孩子太淘气！"

砰！——那是击桌声。

"一定是他干的，不会错！此刻他往哪里去了？你怎么放他出去？"

接连的是一个妇人的声音，声调有些颤动。那是姜智生的妻子：

"他就在附近走走，就要回来了。你也用不着动火。"

"用不着动火？这孩子给你宠坏了！你还包庇他！"

"我包庇他什么？他不是说得很明白吗？他说这珠子是他在壁角里捡起来的，所以便很欢喜地重新放在匣子里。他也不知道这珠子已变成假的了啊！"

"呸！你还相信他！"

这几句对白使霍桑微微地震了一震。他回转头来，张着眼睛向我眨了一眨，暗示这一着也出他的意料。我也不胜惊奇。这珠子变成假的了！太奇怪了！我本以为这案子的底蕴立即就可以明白，谁知道再来一个变端，竟又另起一番波澜！珠子怎么会变化？是不是又是宝麟弄的花巧？我来不及思索，急急听那室中继续的谈话。

姜智生又怒声说："你明明和他的调，告诉我珠子已经捡得，叫我空欢喜了一场！难道你不知道我们的一粒略带红色，中间还绕着一缕红丝吗？你瞧，这是一粒纯白的啊！"

那妇人期期然道："我若使早就瞧见，当然辨别得出。不过那时候我一听得珠子已经找着，太欢喜了。宝麟又已经将珠子藏入箱中，故而我不曾再拿出来看。"

霍桑听到这里，忽而嘴唇紧闭，眉头一皱，似乎已想得了什么计策。他拉着我后退两步，离那室门远些，才附耳向我说话：

"这件事变得很严重了！珠子既已被换，显见真的已到了外面去。眼前最要紧的，就是怎样设法把真珠追回来。"

"是。你有什么法子？"

"第一步，先得找寻这个宝麟，然后再从他身上接到珠子的线索上去。"

"对。此刻到哪里去找他？"

霍桑思索了一下，应道："他所以出去，也许就为着真珠的事。但他既能干出这样的事，势必会和外界通信。我们不如到下面账房里去问问，这几天有没有给他的信件。"

我应道："对。他如果通信，必须经账房的手。"

霍桑不再说话，先急急下楼，我也跟着退下。到了账房里面，霍桑向一个年长的有短须的人略略说明缘由，便有一个专司信札的少年职员向霍桑答话。

那职员道："你问一〇三号姓姜的客人吗？姜智生还是姜宝麟？"

霍桑应道："我只问姜宝麟。"

那职员道："有的。他有过好几封信哩，差不多天天有。约莫一点钟前，他还接过一封快信。"

霍桑的眼珠忽像闪电似的转了几转："唉，一封快信？你经手接收的？"

"是的，也是我亲手交给他的。"

"你觉得那封信有些异样吗？"

"异样？唔，当真有些的。"

"信封中是不是有些高凸起来？"

那职员惊异地反问道："确实如此！先生，你怎样知道的？"

霍桑仍继续问道："你可知道凸起来的是什么东西？"

"这个倒不知道。但我还记得那孩子一接这封信，似乎很惊奇。接着他忽又睁大了眼睛好像有些发火。"

"他当时可曾拆开来看？"

"没有。他低头想了一想，便转身进电话室去。他打好了电话出来，就上楼去了。"

霍桑的眼珠又滚了几滚："快信上应当有寄信人的住址。你可也记得？"

那职员忽低了头疑迟起来。我心中突突地乱跳。这是最紧要的关键，他能不能指出那个地址？

那人略一追想，忽点头应道："唔，记得了。那是本埠山海关路。"

唉！山海关路！不会这两件事又联系起来吧！

霍桑镇静地问道："山海关路几号？"

那人又作寻思状道："这个不太清楚，仿佛是十七号。"

莫非就是七号？他会不会弄错？如果如此，这两案互相牵连，果真又变作一案哩！小小一件事，我想不到会有这样的曲折！

霍桑又问道："那么，寄信的人也许有一个姓名，你可曾注意到这一点？"

职员道："唔，我记得很清楚，只有一个陈字，但没有名字。"

霍桑的定力竟也失却了控制。他虽不曾失声惊呼，但咽喉间已经漏出了一个"哈"字。接着，他向那职员谢了一声，拉了我退出旅馆。

他走到门外，低声向我说："包朗，事情变化得太厉害。你且忍一忍饿，赶紧往山海关路去一趟，设法探一探那十七号是什么样人家。你若能知道一个大概，便可回到我寓里去等我。我还得上楼去见见姜智生，不能和你同去。你快去，汽车在那面。越快越好！"

我有些过度惊喜，一时也说不出话，听了霍桑的指示，立即应了一声，回身向汽车的所在奔去。不料霍桑又从后面追上来：

"喂，包朗，慢，你如果遇见宝麟那孩子，不要和他招呼，但悄悄地尾随他的踪迹。如果有了一个地点，赶紧回来报告。"

我又应了一声，重新向汽车走去。我向车夫说明了地点，便跳上车去，等到车轮开动，向北行进，霍桑也已经回进了旅馆。

天色已完全沉黑，路上电灯通明，大半店铺里的人们都在进晚餐。汽车行进的速度很快，不一会儿就到了山海关路的转角。我便停车下来，转了弯，不多几步，已走近那一排新屋。我先从第七号宋家门前经过，楼窗上并无灯光，但这七号屋子的对面，有一个矮矮的穿黑衣的人在那里徘徊。我速望那人的装束，料是霍桑或警署里派来守伺在那里的探伙。我仍继续前进，再过了六七家门面，正要走近去瞧号数，忽见前面有一个人，正在一家门前伸长了头颈向楼窗上探望。我立即向对街一闪，不让那人瞧见。

那人穿一件白绸的长衫，秃头无帽，身材瘦长。我虽不能走近去看他的面貌，但模样很像那个姜宝麟。他略站一站，仰面张望了一会儿，又退到马路的中心，向东走去。可是他走了几步，忽又立停了回转身来。这时他的步履加速些，仿佛主意已定。他一直向刚才张望的一宅屋子走去，上了阶沿，便伸手握那门钮。唔，他打算要进去了。我暗暗吃惊，瞧他的状态，一进去后，也许会闹出什么乱子。可是他的手握到了门钮上面，忽又踌躇着不进；接着他又放了手，呆立在阶沿上面，似乎他没有推门进去的胆力。一会儿，他又悄悄地退出，仰起头来，重新向楼窗上探望。

那宅的楼窗上也挂着白色的帘子，里面电灯灿亮。我忽见窗帘上现出一个女子的影子。那下面的少年又立定了，但那楼窗上女子的影子一霎眼忽又不见；似乎伊并不坐定，只是偶然在窗口走动，故而那影子忽隐忽现。因此可以推知那少年的进进退退也必已好几回。那时少年见窗上的影子不见了，便又垂下了头，现出懊丧的样子，向马路的中心走来。他向东走了两三家门面，又立定了回头向窗口瞧瞧，方才继续行进。

霍桑曾叮嘱我尾随他的踪迹，我自然不能不跟着去。我正想远远地跟着，忽见他跳上一辆空黄包车，一直前去。我能用汽车追随吗？那会露出破绽。我向左右一瞧，除了那辆车子以外，竟没有别的车子，我只得拔脚追赶上去。我奔过了几家门面，前面的车子已经转弯。我正想加速奔跑，猛觉得我的背后也有急促的步声。我回头一瞧，果见有一个人从我后面追上来。

那人忽大声喝道："哪里去！快停步！我要开枪哩！"

霍桑的来客

我不禁吃了一惊，我不得不停下脚步。那追赶的人身材短小，身上穿着黑衣，我才记起就是刚才守在七号对面的人。他是不是当真在追我？我的左右既然没有别人，当然是追我无疑。我防他误会了，也许真个开枪肇事，不得不站住了等他。一会儿，他奔到我面前，怒睁着两目瞧我。他果真已误会我是什么歹人。

他又厉声问道："你是谁？为什么奔逃？"

我也不禁作愠怒声道："你弄错了！我要跟前面的一辆车子，你为什么阻挡我？"

他仍拦住我的去路："你是谁？为什么要追那辆车子？"

我忽觉得那人的声音很熟，仔细一瞧，看见他满脸粗麻，才知他就是日间被宋家仆人唤来的探目李长庆。不过他的装束已变换，又站在黑暗之中，我先时竟辨认不出。

我问道："你是李长庆吗？怎么竟不认识我？我是霍桑的朋友包朗。"

那人呆了一呆："哎哟，对不起。我弄错了！"

李长庆虽再三向我道歉，但前面的那辆车子，因这一耽搁，已经不知去向。我的汽车停在另一端，如果回去开了汽车追，事实上方向不明，也许徒劳无功。我本想把长庆申斥几句，但他也是奉命派守在这里的，黑夜中突然见人奔逃，当然觉得可疑。他的追阻也是为了尽职，实在也不能怪他。

我本来还有第二种探听的任务，故而重新回到了先前那少年张望的一家。我仔细一瞧，果真是哀十七号（I. 17），门上也有信箱的筒口——那原是每一宅屋子同样装设的。我回想刚才的少年，虽没有当面细瞧，但估量他的高度，一定是姜宝麟无疑。他到这里来做什么？现在又往哪里去了？我失去了这尾随的机会，真是万分可惜。

十七号里忽而走出一个老妈子来。我暗忖我此来本有两种任务，第一种既已失败，这第二种任务不能不特别谨慎些。我假意迎上前去，装作要走向那屋子去的样子。我到了那老妇面前，便开口问话："请问这里可有一家姓陈的？"

那老妇手中提着水壶，似乎是出来买水的。伊突然停了脚步："我家就姓陈啊。你可要找我家老爷？"

我听伊操着无锡口音，便乘势搭讪："我要找的，是从无锡避难来的。"

"正是，正是。你可要进去？"

"唔，你家主人是不是叫陈国兴？"

老妇忽呆了一呆："这倒不知道。"

我又说："他先前是在面粉公司里的？"

"先前做过什么，我也不知道，现在他开着一爿丝厂。"

"唉，你家不是有两个少爷吗？"

老妇忽摇摇头答道："先生，你弄错了。我们家里没有少爷。"

"那么你们家里一共有多少人？"

"除了老爷，有两个太太，一个小姐。"

我的目的已达，便假意说道："那么我当真弄错了。我要找的，是昨天迁进来的，大概不是你家了。"

那老妇连连摇头道："不是，不是。我家已经迁进来五六天哩。"

伊说完了掉头便去，嘴里还自咕叽着，分明在抱怨我耽搁了伊的工夫。我在一半满意的情绪下走到了汽车停顿的所在，上了车，赶紧回爱文路去。不料我到了霍桑的寓里，霍桑不在。据施桂说，他已回来过一次，没有吃夜饭，立即重新出去。施桂又从书桌抽屉中取出一封信来，说是霍桑留给我的。我拆开一瞧，信中没有几句。

那信道：

　　这事的曲折太多，处处出我所料。现在事情很危急，我不能不急速进行。你如果得到什么消息，请留下一个节略。别的事，明天细谈。

霍桑

一泓澄清平静的湖水有时也会激起轩然巨波。这件案子真有些近似，曲折太多了！

我疑惑：霍桑所说的曲折，究竟是指什么说的？怎么还有"危急"的形容？这里面另有什么严重的变化吗？现在他所进行的，又向哪一方面？但瞧他的不进晚膳而枵腹从公，可见那事情确很严重。我就把我所经历的情形写了一个概略，留在书桌上。接着我就回自己家里去解决我失时的晚膳。

十九日那天的早晨，我在早餐毕后，忙着赶到霍桑寓里去探问消息，这一天的气候比上几天凉快得多。爱文路上，在盛夏时候本是浓荫夹道，比别的路更见清幽。这时候微风过处，飘零的落叶在空中舞着，萧萧瑟瑟，已呈露着浓厚的秋意。

我走到霍桑寓前，恰见施桂刚站在门口。我向他招呼了一声，正待一直进去，却不料施桂把右臂扬了一扬，仿佛阻止我的样子。

施桂带着诡秘的神气，向我说："包先生，慢。我先进去给你通报一声。"

我不由停住了脚步，心中暗暗疑讶。这一着委实有些突兀。因为这时候我虽已不是这寓屋的主人，但像我这样的熟客，出进也待通报，未免蹩跷。我只向他呆瞧着，还没有发问。施桂也已猜透了我的心事，便又低声解释：

"他正等候一个客人，屋子里许有什么特别的布置，故而你不便乱闯。"

奇怪！霍桑可是已准备了什么机槛罗网，打算捉什么强暴的凶徒吗？

这时候霍桑似已听得了门口的留难，便从里面高声传令："施桂，不妨事。让包先生进来。"

我一边仍暗暗纳罕，一边放缓脚步走进办公室去。"诡计多端"的考语，真可以奉赠霍桑！他今天又在弄什么玄虚呀？

我走进办公室时，见他正仰面躺在那张背窗口的藤椅上面。他上身只穿着一件白纺绸的衬衫，软领却已扣好。藤椅足旁，依旧纵横凌乱地堆置着不少书报，另外还有一只玻璃杯子，杯中还剩少许冰水。书桌上有一罐白金龙烟和那只有山水画的江西瓷的烟盆。我看不见有什么可异的布置。霍桑嘴里正衔着一支纸烟吸着，神色上也不见怎样紧张。

他并不起身，但向我点一点头，说："包朗，请坐。你来得正好。我正在等候一个人来，在那来客到以前，我还可以和你谈几句话。你昨夜的成绩很不错。至于你自己认为失败的一点，对结果上并无影响。你尽可安心。"

这几句话果然使我宽慰了些。我向他略略点头，便旋转身去，准备在他对面的一只椅子上坐下来。

霍桑突然举起右手，作警告声道："喂，慢！对不起。请你坐在那边一只椅上。这对面的一椅，我要留给那客人坐的。"

我急急撑紧两腿，把正要坐下去的身子挺住了。我回头瞧瞧那面窗的一只藤椅，椅子上照旧铺着一个细席垫子，并无特异之点。这原是我平日常坐的椅子，今天怎么又变了花样？

霍桑忽笑道："包朗，别误会。这椅子上并没有机关！不过这椅子和我面对面，谈话时瞧得清楚些罢了。"

我觉得颧骨上略略有些热灼，勉强笑了一笑，然而坐到霍桑指定的一只椅子上去。

"刚才施桂说,你正等候一个人来,屋中也许有什么特殊准备,才使我疑心起来。"我坐定下来,"你此刻所等候的是哪一个?"

"就是这两件案中的中心人物。"

"唉!这两件案子果真有连带关系吗?"

"是的。"

"那么,这内幕中的情由你可是已完全明白?"

"大致差不多了。"

"既然如此,你能不能就说一说——"

"包朗,你姑且吸一支纸烟,暂时再耐一下子。唉,你不是又要说我卖关子?好在这关子卖不了多久,至多不出五分钟,我的朋友就要来了。"

我只得封住了口,勉强仰起身来,从书桌上取了一支纸烟擦火烧吸。我表面上虽仍保持着镇静,但心中的烦闷躁急,简直不可言状。这静默的时间延长了两分钟光景,霍桑忽自动地开口:

"包朗,你别这样,姑且静一静心。我预料今天我们这一位来客,一定能供给你一些绝妙的小说资料。"

我只点了点头,仍旧保持缄默。这就是我的知趣。因为我明知这时候若问他"妙"到怎样程度,他在那来客以前是决不肯先自说明的。虽然如此,但我的兴致果真被他这句话引动了几分。我们俩这样子静悄悄地吸了一会儿烟,约莫挨过了三四分钟光景。我忽见霍桑突然坐直了身子,侧着耳朵听了一听,又向我点一点头。我知道他的听觉大概已觉察到什么我所不曾觉察的声音,外面也许有什么人来了。

一会儿,我果然见施桂走进来报告有客。霍桑应了一声

"请进来"，随即立起身来。我也提振精神，目光注着室门。不料那进门的来客，就是大南旅社的那个孩子姜宝麟。

那少年走了进来，便骈着两足站住了，两只手忽前忽后地牵动着，眼光兀自在我们俩的脸上溜来溜去，却不作声。

霍桑招呼道："小朋友，请坐。我等你好久哩。莫不是我的送信人来得迟了些？"他随即向对面的一把椅子指了一指。

姜宝麟一边缓缓地走到椅子旁坐了下来，一边仍眼睁睁瞧着我们。我见他的嘴唇确曾牵动过一下，好似准备答话，却没有声音出来。

霍桑微笑着说："你不用顾忌。这位包先生对于你的事情也已完全知道。"

这简直是当面撒谎！我有些发窘。我所知道的，只限于失珠的事是由这孩子播弄出来的，此外却并不知道底细。姜宝麟的眼睛连连地眨了几眨，又咬着他自己的嘴唇，似乎对于霍桑的话还是半信半疑。

他问道："霍先生，你刚才信上说，你已知道我一切的事，还说你能帮助我解决我的困难。究竟是什么意思？"

霍桑道："我说得再明白没有了啊。你的事情，你既然是自己经历的，当然再用不着注解；你的困难，也当然是指那没有着落的珠子说的。"

宝麟白皙的脸上似乎泛出一阵绛色。他坐直了身子，他答话的语气也紧张起来：

"霍先生，你对于珠子的问题已经有办法了吗？"

"是，差不多了。"

"那么，请告诉我。怎么样可以把珠子拿回来？"

"告诉你也可以。不过你得先说明你的故事。"

姜宝麟忽偷眼瞧瞧霍桑的脸，又瞧瞧我。他又低一低头，似乎他的心中还犹豫不决。

我插口道："这是一个很公平的交换条件啊。"

姜宝麟道："但你们既然已经知道，何必要我再说？"

这孩子着实乖刁。我对于他的事，只是"一知半解"；我不知道霍桑刚才的话是否确有把握。假使他也只是虚冒，那未免要当场出丑了！霍桑把叠着的两腿交换了一个位置，又微微笑了一笑。

他道："宝麟，你要试试我的眼力？是不是？唔，我当然知道的。不过我所知道的，是不是一件件都合符你经过的事实，那要请你当一位'校对先生'……包朗，我不是应许过你，有一个充满着浪漫色彩的故事尽可构成一篇绝妙小说的吗？你听着，这里就是我的故事。"

故 事

那少年起先红一红脸，接着用一种似信非信的目光瞧着霍桑，等待他的故事开场。霍桑烧着了一支纸烟，身子靠着椅背，又将他的右腿搁在他的左膝盖上，默默地抽吸了一会儿，才开始他的浪漫故事。

他说："我这故事中的主角是一个才刚成年而犯了急性求恋症的少年——对不起，这症名是我杜撰的。他因着这一次的战乱，跟着他的父母一块儿到上海来避难。这少年在轮船上时，结识了一个大概为同样目的而旅行的女友——这位小姐今年十八岁，生得很美丽，中学快读完了。在这社交公开的时候，男女间结交朋友原已不足为奇。不过这少年的求恋资格委实太幼稚了，不但性急，而且还近乎鲁莽。他只凭着一天的交谊，竟便向那女友表示求爱，并且允许伊一种信约的赠物，那就是他家里一粒世传的珍珠。"

我偷瞧那少年来客的面色，忽红忽白，忽而抬头，忽而低垂，可算得变化无穷。他先前本抱着半信半疑的态度，可是因着霍桑的语调，像一个老资格的"说书先生"，抑扬顿挫，而且从容不迫，他的容态也就从怀疑而变成惊讶，更从惊讶而露出羞沮。

霍桑似乎并没瞧见。他吐了几口烟，自顾自地说："轮船到了上海，那少年有一个亲属上船来迎接，并说已给他们定好了一个旅馆。那少年听得了，便暗暗地把旅馆地址告诉了那女友，以便后来通信。

"到了旅馆以后，那少年一边设法窃取他自己的一粒珍珠——他所应许的信物——一边专等候那女友的来信。那珍珠本是少年应有的东西，论情他尽可以堂皇地向他的父母索取。但在这仓皇避乱的当儿，他终究没有勇气把他的急性恋病向他的父母禀陈。于是他不得不出于偷窃的下策了。"

姜宝麟的脸色已经全部通红了。他的头已抬不起来，身子微微牵动，两只手一会儿按在膝上，一会儿又交握着用力捺他的指骨，发出"刮刮"的声响。这种种状态，显示出霍桑的叙述，句句都刺中了他的心坎！

霍桑继续道："隔了一天，那女子的信果真来了。信中的大意，除了恋爱尺牍中应有的公式以外，还说明伊的父亲因着旅馆的开支太大，战事又不能立刻结束，故而已在某某路某号租了一宅屋子。伊并说精神的交谊，不必借重物质来做信约，所以对于赠珠的事表示不受。伊又告诉他伊家中防守很严，叫他不可寄信，以免口舌，等伊有了通信或会晤的机会，再通告他。从这一点上看来，伊和这少年的交际，似乎已被伊的父母觉察，并且有过反对的表示，故而伊才如此小心。"

姜宝麟的嘴唇本来已经忽张忽合了好几次，这时候忽有一种粗涩的声浪，终于冲破了他的喉关。

他道："奇怪！霍先生，你怎样知道的？莫非你已经——"

霍桑仍不理会，但自顾自地说道："伊的第一封信是在伊迁进新屋后的第一天发的。到了十五日那天，伊又发第二封信——这封信上伊告诉他，伊的父母在这晚上要出外，特地约他在晚间到伊家门口去，以便乘间谈几句话。那少年一得这信，心中的得意自可想而知。当晚他就依约找到那地点去。可是他的鲁莽脾气又一度表现，不幸竟找错了一家！不过公允些说，他所以找错，除了他的鲁莽以外，原也另有一种原因。当时他在门外守候了一会儿，终不见他的恋人出来，未免有些失望。于是他在大门外的水泥阶上画了两个符号，又写了一个9字，分明约伊次日晚上九点钟他再去守候。谁知他次晚去时，依旧失望。他因又照样画了一个双环交互的符号，又换了一个10字。他似乎认为伊两次失约，就因所约的时间太早，伊容易受人阻碍，故而连续移下一个钟头，以便伊私下出来会面。

"到了十七日那天，他忽又接得第三封信——信上却反问他何以失约，并告诉他如有信件，可悄悄投入伊家门上的信箱里，以便伊自己取阅。那信上又叮嘱他信中的词句，应严格秘密，并且决不可假手邮局，必须他亲自投入，信面上也不可标什么姓名，以防万一落在别的人手中，也不致肇祸。因此之故，那少年就在十七日晚上，把他准备做信物而用不正当方法取得的那粒珠子，悄悄地亲自投进了他以为的恋人家的信箱中去。

"他取得那粒珠子的方法，自以为计划周密，万无一失。不料这失珠的事，在下一天十八日早晨，便被他的家人发觉。好在当时还没有人疑他所干，他仍可以置身事外。

"那天午前十一点钟，他又接得女子的第四封信——这才使他吃惊不小。那信中声言伊已连接寄了三封信，问他曾否接得，何以杳无复音。伊恐怕他找错了伊的住屋，有所误会，因重新把伊的地址号数详细写明。那少年才领悟到他当真已误会了伊的屋子。别的还不成问题，但他家的那一粒世传珍珠，他已在上夜里误投入一个不相干的人家。这真使他着急万分！他明知那失珠不容易随意取回，但在慌乱之余，竟也不顾利害，定意冒一冒险。他竟打算亲自去施用暴力，以便把那粒误投的珠子取回来。

"他换了一件竹布长衫，罩上一件黑色马褂，又到外面去买了一副黑玻璃眼镜——于是他便从偷窃的地位，更进一步，竟踏上了抢劫的途径！好险啊！万一弄假成真，结果真是不堪设想！但这少年为情魔所驱，丧失了理智，竟就奋不顾身地一意孤行。

"幸亏事有凑巧！当他走进那误投的屋子的时候，屋中除了一个老年人以外，没有第二个人在旁。更侥幸的，那时那老人正将珠子拿在手中，在那里诧异出神。故而他略一动手，便毫不费力地从那老人手中将珠子夺回。

"他退出来后，重新找到他恋人的真确地址的屋前，才乘间把那夺回来的珠子投在信箱里面。可是事情的变化，真是层出不穷！到了当天的傍晚，那珠子竟又退回来了。他以为他的恋人不识抬举，他一时含怒，便打算不再投赠，乘势挽救那正在进行侦查中的失珠纠葛。他打电话回绝了那侦查失珠的侦探，以便使这件事告一个段落。哪知最后的一变，几乎使他惊骇亡魂。那退回来的一粒珠子忽又变作了假的！"

一个曲折动人的故事在毫无阻扰的局势下宣讲完毕，我的神智也被全部吸住了。霍桑立起身来，伸了一伸腰肢，又将手中的纸烟丢入痰盂。他走到窗口，用一手撑住了窗框，脸向窗外，似在那里吐换新鲜空气。姜宝麟仍呆呆地坐着。他的两股似已钉在藤椅上面，只能上半身牵动，却再也不能站立起来。他脸上的颜色也已变换了好几次——忽而惊恐，忽而诧异，又忽而点头不已，好像着魔似的已身不由己。最后他终于抬起头来，发出了一句赞叹的问句：

"霍先生，你真是了不得！你若使没有千里眼，怎么会知道得这般详细？"

霍桑从窗口外面转过脸来，笑着答道："过誉了！你的本领也着实不差啊！"

那少年红涨了脸，舐了舐他的嘴唇，缓缓答道："这件事我委实太轻忽了。但我的初意万万想不到会有这样的结果。"

霍桑接口道："'祸患生于轻忽'，这一句古老的话，你难道没有听得过？现在我问你：我这篇故事原只是一种草稿罢了，难保没有错误。你既负着校对的责任，就请你校正一下吧。"

姜宝麟道："霍先生，你已经完全明白，何须我纠正？譬如我之所以找错屋子的缘由，谅必你也都已知道。"

"不错。上海租界的屋子，门牌上号数的前面，往往有一个英文字母——例如 A（爱）字几号，B（皮）字几号等等。那山海关路新落成的一排屋子，却是一个 I（哀）字母，那 I 和阿拉伯数字的 1 形状本属相同，故而哀七（I. 7）号，望去很像十七（17）号。你是初到上海来，不知道这种习惯，况且时在夜间，你又有些性急鲁莽，那两个西字中间，虽还隔着一个小点，但你当然不会留意。因此你就把七号误认作十七号了。"

我听了这一番解释，才把先前郁积的种种疑团一个个彻底刺破。这两件案子果真原是一案，但起先既两相隔阂，绝没有关联的线索，自然绞尽我的脑汁，再也推想不出。可是霍桑的思维终究比我敏捷得多。大概他昨夜在旅馆中时，一闻得那最后的一封快信从山海关路十七号里寄来，必定就悟到了这里面的关节。我的疑虑既经消散，胸头也松爽得多。我瞧瞧姜宝麟。他的羞赧神气也已祛除，用一种敬佩而又有些畏惧的眼光，在霍桑脸上默默地凝注了一会儿，才点头应承。

他道："霍先生，我的误会，一大半确实为着那个可恶的哀（I）！但此外还有一个原因，就是那第七号的楼上，我也瞧见一个女子的影子。那女子的头部和额发的形状，竟和秀梅同一模样。因此我才深信不疑，绝对想不到找错了人家！"

我插口说："唔，那么你找错的经过现在也不妨说一说啊。"

宝麟点点头："好。我第一夜去时，见窗上映着两个女子的影子，一老一少。那年老的一个，我以为是伊的母亲，伊所以不能下楼来见我，谅必就为着伊的母亲不曾出外，陪同在旁，伊没法脱身。所以我就画了一个记号，又写了一个9字，约伊下一晚九点钟再去。因为我料想更晚一些，伊母亲或者先归睡了，伊也许可以自由些。但我在第二夜去时，窗上的影子，不但有两个女子，另外还有一个男子——这男子我就假定是伊的父亲。我寻思伊的父母既然同时在家，这晚上一定也没有会面的希望。故而我重新摸出袋中的铅粉，在水泥阶上再画了两个联圈和一个10字。这铅粉本是我带去的，以备万一不能会面，可以在什么地方留些记号。

"第二次的记号才刚画好，我立直了身子，仰起头来向楼窗上瞧了一瞧，忽见那个男子正揭去了窗帘，准备要开窗的样子。我陡吃一惊，便急急回身避开。原来有一次我和秀梅在轮船上谈话，忽被这老头儿撞见。他分明是很守旧的，不赞成我和他的女儿交往，故而我见了他也很畏惧。

"下一天十七日的日间，我接得秀梅的第三封信。信中只问我何以失约，却不提起符号密约。这一来本已有些可疑，可是我当时昏迷了心，还想不到这里面的误会。伊又叫我将复信亲自投在伊家的信箱里。我想我既没有当面赠信的机会，不如索性就将我的珍珠投入伊家的信箱。于是我就取了一块蓝绸，在这绸上写了几句——为妥密计，那字迹非常细小，粗心些一定不会看见。接着，我将蓝绸包了珠子，同封在一个信封之中——信封上也遵照伊的意思，完全不写什么，以防露出破绽。"

我在这孩子摸出白巾来抹拭他的鼻子的时候，向霍桑瞅了一眼，说："蓝绸上原是有字迹的，可是宋伯舜没有瞧见。"

霍桑但点点头，又向宝麟瞧瞧，示意他继续下去。那少年放下白巾，又继续解释：

"后来我趁我父亲母亲往戏院里去的时候，便在十点左右重新到山海关路去，将那藏珠子的信封，投入第七号人家的信箱中。那时候我看见窗上只有一个少女的影子。我暗自忖度，莫非伊家的父母都已出去了？可是一刹那间，我忽听得里面的楼梯上有人走下楼来，窗上的影子却依旧还在，显见下来的不是秀梅。于是我不敢再留，急急地回身逃开。"

我因着姜宝麟的这一番补述，对于内幕中的疑蕴，十之八九都已明了。不过那神秘的符号还不能彻底了解。我正待发问，霍桑却又向那孩子点点头："后来怎么样呢？"

姜宝麟道："以后的经过，和先生所说的完全相同。因为我在十八日的近午，接到了秀梅的第四封信，信中质问我为什么没有信息，又仔细说明伊家的地址，在山海关路哀十七（I.17）号。我方才明白，我已铸成了大错！以后的行动，先生真像通天眼似的，早已完全明了，我也不必说了。"

霍桑又烧着了一支新鲜的纸烟，缓缓地吐吸着。他的唇角上也露着些笑容。我不知道这笑容的成因是什么。因着那孩子称赞他有通天眼的缘故吗？还是另有更深的含意？

姜宝麟有些不耐，问道："霍先生，你答应过的，你能给我把那粒真珠取回来。现在你究竟有什么方法？"

霍桑仍淡淡地带笑答道："唔，取回那粒真珠子吗？不错，这果真是要紧的。不过你既然已经把这名贵的东西轻轻送掉了，现在怎么又着急起来？我问你，那两个交联的双圈有什么意思？"

这个问句原是我含蓄已久而想要提出的，霍桑代替我说了，我自然暗暗地欢喜。姜宝麟忽又害臊起来，他的脸红了一红。

他低了头，慢吞吞地答道："这双圈的符号是我们俩秘密的暗记。我们缔交的起因，就是从这个双圈上发生的。"

"这却很有趣。请你说得明白些。"

"当我们在轮船上时，我偶然在舱外甲板上面拾得了一枚双圈形的镶钻石的金扣针。那双圈是用细粒的钻石镶成，中间还嵌着几粒红宝石，分明是女子的饰物。我把那扣针拾起来后，抬头一瞧，看见三五步以外，有一个丰姿妍媚的女郎，正凭着船栏远眺。我走到伊的面前，婉声问伊曾否失落什么扣针。伊伸手在胸口一摸，便向我回眸一笑，说：'哎哟，真是我失掉的！'我就恭恭敬敬地将扣针奉还，当时又领受了伊儿句很荣幸的谢词。因这一来，我们的友谊便开始了。

"当上岸的那天，我听得我哥哥宝祥说，他在接得我父亲的电报以后，已给我们在大南旅社定好了房间。那时我已没有机会把大南旅社的地址当面向秀梅说明，只得写在一张纸上，下面不敢具名，只加了一个双圈的暗号，悄悄地投进了伊的舱中。后来伊果真写信到大南旅社来，可见伊已认识这双圈是我们俩的秘密记号。"

霍桑用手指弹去了些烟灰，瞧着我笑道："包朗，你试评一下，这故事的曲折结构比那些千篇一律的所谓言情小说怎么样？那主人公的技巧，你也得承认值得欣赏吧？"

那孩子低垂了头。他脸上的红色逐渐蔓延开来，直扩展到他的耳根。

霍桑又问道："还有一点，那珠子你怎样到手的？"

"我……我自己从箱子里取出来的。"他的头依旧低沉下着。

"你的母亲可也知道？"

"不知道。我们到上海的第二天，我便趁个空取出来了。"

"你用什么方法取得的？可是你另有钥匙？"

"不是，我并没有用过钥匙。我看见母亲开箱以后，没有把锁锁上，我就乘机取出。我的母亲有些粗心，开箱后常常如此。"

霍桑点了点头，说："唔，这一着本是很可能的，先前王良本也曾疑到。"他的目光定一定，又侧一侧头；接着吐了一口烟，直视着那少年："小朋友，你已经受过些教育，总也知道纯正的恋爱原不能算不正当。不过在你的年龄，学程没有终了就谈恋爱，未免太性急些。并且这种鼠窃狗盗的举动，少年人万万干不得！你何不光明正大地向你的父母说明白？"

姜宝麟吞吐道："霍先生，你不知道我父亲的头脑是非常守旧顽固的。他对于这文明自由的举动，一定不……"

"不"字的声音还没有完全吐出，办公室的门被砰然推开，有一个矮小肥胖的人大踏步直闯进来，施桂却反而跟在来人的后面。我惊异地仰起了头，定睛一瞧，这不速客就是那孩子的父亲姜智生。他来得太突兀了！我们都出乎意料——霍桑是除外的。姜智生的脸上怒气冲冲，他的含笑弥陀的面庞忽已变成了怒目金刚。这时他跨进了门，反手将施桂关在门外。那孩子的面容灰白，吓得什么似的。他已离了椅子，呆立着发抖。霍桑也从藤椅上立起身来，现着些不安的样子。姜智生似乎已在门外偷听了好久，所以一走进来，便戟指指着他的儿子破口大骂。

"没出息的东西！文明？你的举动真文明！是的，我是守旧顽固的，不配有你这样文明的儿子！小鬼！给我滚出去！你……"

霍桑走前一步，劝阻道："姜先生，请息怒。这孩子的话果真失当，不过你此刻同样是来做客人的，似乎也不应这个样子。我所以预先请你来，原想使你直接明了这里面曲折的情由，好省我间接的解释。你怎么这样子没有涵养功夫？唉，请坐，请坐。"

姜智生定了定神，似也觉得他如此咆哮发作，当真未免失检。他静默了一会儿，他的怒气便渐渐降下了些，但他并不坐下。

他又向他的儿子说："好，现在我不和你多说。你既然有本领把珠子送出去，总也有本领取回来。现在那真的一粒在哪里？快拿出来！"

姜宝麟张大了眼睛只呆瞧霍桑。他的眼光中含着一种暗示，似问他有什么解决的方法。霍桑却似没有瞧见，但向他的父亲说话。

他说："姜先生，我来说一句公平话。这珠子既然是他祖父指定作为他的婚礼聘物的，如果方法妥当，你当然也不致固执拒绝，是不是？"

姜智生答道："那不错。但现在珠子分明已被什么人从中窃去，我怎能不问？"

霍桑的两手插在白胶布的裤袋之中，又回头向孩子道："你听得没有？你的事如果用正大光明的方法，你父亲原也是赞成的。你说他的头脑顽固，委实太荒谬。你冒犯了尊亲，回去后应得好好地请个罪。关于那一粒真珠子的问题，你可有什么想法？"

姜宝麟低声道："我实在不知道。我给伊一粒真的，伊却还我一粒假的。"

"你想就是陈秀梅调换的？"

"不，我想伊不会如此。或是伊家中的人换的，也未可知。"

"你从第七号将珠拿回来后，可曾打开来瞧过？"

"没有，我直接投到秀梅家里去的。"

霍桑点了点头，说道："那也怪不得你。幸亏你昨夜没有真个到秀梅家里去索回真珠，否则再误三误，这件事又要被你自己弄坏了。好了！这事就这样解决吧。珠子在我这里，你们就带了回去吧。"

霍桑的右手早从裤袋中伸出来，一粒珠子承在他的手掌中。那珠子圆润而带红色，中间绕着一缕血红的细纹，果真是姜智生所说的世传之珠。

结 束

我们在秋天的薄暮，常见晴空中云片叠叠，涌现出种种奇形怪态；一转瞬间，那云片的形态又会变幻无穷，往往出人意料。霍桑的举动有时候出人意料，真可说得上"幻于秋云"。例如这一次他突然间把珠子拿出来，谁都不曾意料到。姜智生父子起先似乎还疑心霍桑开什么玩笑，呆住了不敢发话，我也有些半信半疑。后来姜智生凑近些去，眼光注视在霍桑的手中。他忽然伸出手来，急急将珠子取起，再拿珠子仔细一瞧，便不禁失声欢呼：

"唉！这真是我家的珠子！霍先生，你从哪里得来的？"

那孩子宝麟张着两目，竟像胡桃一般大。我不知他心中是喜是惊。我的外表上虽仍保住着镇静，心中却很惊讶这突如其来的举动。不过我明明知道霍桑在这紧急的关头，绝不会有闲心思和人家开玩笑。

霍桑微笑着说："姜先生，这珠子已经落在第三个不相干人的手中。幸亏我发觉得早，不曾出销。现在既已珠还，你也不必追究。这件事终算可以圆满了结哩。"他旋转头来，笑嘻嘻地瞧着宝麟："你干这件事，真可说一误再误。你把假珠子赠送你的情人，不又是一件冒昧的事吗？你回去以后，也得赶快想一个法子，向这一位陈秀梅女士道一个歉呢。"

那孩子连忙避去目光，他的下颌贴住了胸口，似乎不胜羞愧。

霍桑又说："这事既已和平了结，你们大家也就向和平方面进行吧。现在你们可以好好地回去哩。"

姜智生立起身来，鞠了一个躬，说："谢谢霍先生，你使这一场平地的风波转瞬间消归乌有。我真不知道怎样酬报你。"

霍桑笑道："不必，不必。我因为空闲得太无聊，正觉得闷极。现在我得到了两天的消遣，已尽够做我的报酬。不过那位王良本先生为你奔走了一回，你少不得要谢谢他。"

姜智生连连拱手道谢，又说了不少改日补报一类的感谢的话，才带着他的又窘又喜的儿子分别而出。霍桑送客回来后，打了一个电话给王良本，方才重新坐下来吸烟。

我问道："你是不是预先把姜智生藏在里面的？我进来时所以在门口停顿一会儿，就为着他吗？"

霍桑答道："是的，这样一来，不是省便得多？否则我问明白后，还要向他的父亲解说，岂不要多费一番口舌？"

我点了点头，满意地摸出纸烟来。

霍桑吸了几口烟，又说："包朗，我许诺你的一篇绝妙的小说资料，现在你可觉得满意？"

我也照样烧着了烟，应道："这资料确实很好，不过还有几个疑点，须得你解说一下，才成完璧。"

"你要知道我怎样得珠的情形？"

"是啊。你说的第三个人，可就是那——"

"是的，正是那个根虎。我们知道那珠子是被宝麟误投在宋伯舜的信箱中的，他投进去时当然是真的，但等到宋伯舜发现了报告我们，那珠子便已变了假的。宝麟投进去的一粒，本是带红色的真珠；据伯舜说，他所发现的却是一白粒的。这可见珠子的变换是在宝麟投入以后和伯舜发觉以前。那么，可是伯舜调换了说谎？绝不是。我料他接珠以后，因着前两次的符号正是万分惊惶，绝不会再有这样贪小利的举动。你总记得宋伯舜说过，那珠子是他的仆人根虎从信箱中取出来交给他的。

这个仆人会不会从中调换？因为我们知道宝麟投珠的时候，是在十七日夜里，但根虎将珠子给他的主人，却在昨天十八日早晨的十点多钟。论情，他在清早时就有发现的可能，但他所以耽搁，就是因着调换的缘故。这假定不是很合理的吗？"

我只用点头的动作表示同意，并不挫断霍桑的话。

霍桑又说："我昨天夜里在旅馆里探明了那珠子是从山海关路十七号退回去的，便立即悟到了误会的情由。更进一步，我便疑到这个根虎。所以我当夜就去见他。他自以为这件事做的神不知鬼不觉；而且它的来历和去向都太奇怪，决不防会被人发觉。不料我突然去向他索珠，又揭发了他的隐私。他一时惊慌，来不及准备，只得和盘托出。他说他在昨天清早，忽然看见信箱中有一封没有姓名的信。他自然有些惊异，取出来一瞧，觉得信封中似有什么东西，因而越发疑奇。他不知这东西从哪里来的，也不知道是给哪一个，便私自拆开来一瞧，竟是一粒奇形的珍珠。他是在银楼里做过的，一看见那珠子的光色，知道是真的无疑。他不曾听得他的主人买过珠子；并且这东西在信箱中发现，来得也太突兀，料想他的主人也决不知道。他本想从中乾没的，既而又觉得不妥，才想出一个折中的方法。他就悄悄地买了一粒上等的宝素珠。你总也见过，这种珠子制造得很精致，一时间不容易辨别真假。后来他把那真的藏过，假的照样包好，封入信封，随即呈送给他的主人。根虎一看见伯舜得珠时的惊异状态，便暗忖他所料的不错，他主人对于这珠的来由，果真也和他一般地出乎意料。因此他便自以为他从中弄的花巧，绝对不会有破露的危险。"

我应道："唔，这里面还有这样一番曲折，不说破真不容易推想。那么这根虎分明也不是个诚实的人。但宋伯舜的朋友朱信甫荐给他时，还说他'诚实可靠'，这种话委实是欺朋友了。"

霍桑忽摇头道："包朗，你这话说得太苛刻。你得知道根虎以前的行为，在朱某眼中也许确是一个诚实的人。你也研究过行为心理，总也相信环境影响人的行为，力量是相当大的。世界上有好多好多的人，平日的行为本很谨严，可是因着意志薄弱，或是理智不清，所以一遇到试诱的机会，往往不能自制，就也有行恶的可能。根虎是一个无知识的人，遭遇了这样一次的诱惑，自然难怪他要从中舞弊了。"

我点点头，自认我的批评太偏于主观。一会儿，我又问道："现在这根虎怎么样了？"

霍桑皱眉道："论情，他这举动也应受相当的处分。但因着他一再地痛哭后悔，宋伯舜明白了其中的原委以后，也给他说情央求，我已经宽放他了。"

"唔，这倒便宜了他。"

"虽然，我瞧这个人确是初犯，并且这回事和直接的行窃不同。若使一定要把他送警究办，那不免绝他的自新之路。你得知道法律本乎人情，在可能范围内，应得让人有改过自新的机会。一个无心初犯的人，往往因着一度的受罪蒙羞，自以为人格已丧，以后便索性倒行逆施。故而这判罪的第一重关口，执法的人实在是应当特别审慎的。"

这见解又获得我的同意。我又道："还有那女子给宝麟的信札，你怎么也完全明白？莫非你已和这个陈秀梅会过面？"

霍桑道："是的，我已经见过这位姑娘，不过不曾交谈。昨夜我和你在旅馆门口分别以后，又回进去和姜智生谈过几句。我在那宝麟的一只皮包中搜出四封情书和一副黑玻璃眼镜。据智生夫妇说，这眼镜他们从来没有见过。我就料那是宝麟为了劫珠的缘故，特地购备，用以掩护他的真相的。我读过那四封信以后，略一推想，前后的情迹便都了然了。那时我对于失珠的下落，已有几分把握，便约姜智生今天一早就来；并叫他等宝麟回去时，他应装作无事，决不可马上发作。接着我回来了一次，留了一张条子给你，随后到山海关路 I.17 号去看了一看，就向那失珠的方面去进行了。"

这一个看似平凡而又波澜层层的故事到这里已是处处合拍，了无余蕴，真像一条链子，已经节节相扣，没有什么缺断处。我一边满意地吸着烟，一边寻思有没有还待解答的零星疑点。

霍桑忽向我道："包朗，这故事你都已明白了吗？将来你演成了小说，不妨就叫作《两粒珠》。你看好不好？"

我忽阻止他道："慢。还有一点，我还不明白。"

"唔，什么？"

"那宋伯舜和陈秀梅二人同样接得那粒假珠，为什么一个信作真的，因而生出了一番波澜？一个却立即辨出假珠，当时退了回来？难道这两个人的眼力有高下的不同？"

霍桑沉吟了一下，答道："我想这宋伯舜也是吃过银楼饭的，当然不会不曾见过真珠。这完全是心理作用罢了。"

"心理作用？"

"是的。你知道宋伯舜接得珠子，原是出乎他意料的。他当时的心理，只是充满了珠的来由怎么样，什么人投递的，有什么目的等等的一类疑问，一时就想不到分辨珠子的真伪。那陈秀梅的心理状态是相反的。伊早知伊的情人有赠珠的举动，所以接珠以后，便细玩珠子的优劣。两个人的心理状态既截然不同，因而就产生了不同的结果。"

我听了这个解说，也认为满意。同时我又引起了题外的遐想，这姜宝麟和陈秀梅的婚约究竟有没有成就的希望？宝麟对于错投的事，将怎样向秀梅解释？伊是否也能了解体谅？并且在宝麟方面，父母虽似有允许的可能，那秀梅的父母，不知可也能疏通和解？我正自空想出神，忽听得霍桑咯咯的笑声：

"包朗，你何必虚费你的脑力？这个孩子年纪虽轻，魄力却不小。他既沾染了现代青年急于求恋的风尚，那么，此事的能否成就，他自己尽有成算，何必烦劳你越俎代谋？我们并不开什么媒妁公司啊！"

我也不禁笑道："我记得你在历次的探案之中，已成就了不少佳偶，怎么现在反而说我？"

霍桑忽沉着脸色答道："不错，我确实已经成全了好几个人。可是我只是为了他们本人的意志，略加助力。若说我个人的旨趣，却是和他们绝端相反的。"他说这几句话的时候，面容庄肃，已不见一丝笑容。我有些奇怪。

我问道："霍桑，你的旨趣怎么样？我倒不曾听得你发表过哩。"

霍桑忽立起身来，丢了烟尾。他走到窗口，站住了静默一会儿。

他旋转头来冷然说道："我觉得王实甫《西厢记》中最煞风景的，莫过于'愿天下有情人终成眷属'这一句话！"

霍桑的语气十分严冷。他的脸容忽微微变异，两颊上略觉泛白，眼光下垂，嘴唇也微微颤动。我不知他心中怅触了什么，又不知他引起了什么蕴藏的感想。我不便再说什么。室中便归于静寂。这时窗外面秋风飒飒，一阵阵落叶萧萧地拂窗而过，似向人报告秋已深了。

轮痕与血迹

野云寄庐的凶案

　　九月五日的早晨，初秋天气，清早时更见凉快舒爽。我在早餐时分得到了霍桑的电话，便匆匆收拾好了，辞别了我的佩芹出来。霍桑的电话只有一句简单话："包朗，如果你的日记中还容得下一份新鲜资料，赶快到火车站来！"这话一进我的耳朵，顿使我十二分兴奋。因为近几月来，我和霍桑合作的机会很少，偶然有几件案子，他因着那案子的性质平淡无奇，又恐妨害我的著作事务，都是他单独进行。这一次他竟特地约我，足见这案子的性质一定不会太平凡。

　　我赶到火车站时，九点三十五分的京沪区间车刚要开驶。霍桑已提着那只用得很光滑的手提皮包进了月台，正要上车。他远远地瞧见了我，便扬手招呼：

　　"包朗，我以为你要错过这个机会哩。车票已在这里。请赶快一步！"

　　我放开脚步赶到车厢门前。我的足才刚踏上车门口的铁级，火车就缓缓地动了。

　　我们在二等座中拣了一个面对面的座位。车中旅客还不算怎样拥挤。清晨的凉风一阵阵从车厢口里送进来，吹在脸上，觉得非常舒适。霍桑坐在我的对面，穿一身黑色本厂灰色薄花呢的西装，洁白的硬领，配着那蓝地儿白星的国货领带，显得非常整洁。他脸上的精神也很饱满，高突的额角上面，顶发已在开始秃落，两条浓眉之下，罩着那双威光闪射的眼睛，中间配着一个隆直的鼻子，越见得英气逼人。

我微笑着道："霍桑，你今天倒像去赴宴会，不像去侦查案子啊。"

"正是，我们去见老师——尤其这位古方谨严的老师——自然不能不加意整洁些。"

"老师？谁呀？这究竟是一件什么事情？"

霍桑并不答话，但伸手到衣袋中去，取出那本摩擦得近乎破损的皮面日记。他从日记中拣出一张电报底稿，授给我瞧。

那电报道：

> 本镇野云寄庐主人曹纪新，昨夜被杀，情节甚奇。敝校吕志一教授，今晨因嫌疑被捕，希即来侦。
>
> 翁肃英
> 九月五日晨

我记起来了。十八年前，我和霍桑在中华大学读书的时候，这位翁先生就是校中的教务主任，我们俩确曾亲聆他的教诲。后来他在教育界里声誉日隆，直到三年前革命告成，他就受任真茹大学的校长。他在革命工作上也着实努力过，不过他因着矢志教育，又抱着"给国家服务不一定要做官"的见解，故而始终不曾踏进政界里去。我们和翁校长虽有师生之谊，平时却很少往还。这一次他忽然招致霍桑去探案，确是意想不到。霍桑本着"有事弟子服其劳"的精神，毋怪分外起劲了。

我说："唔，不错。翁先生是非常严谨的。从前他常指斥你不修边幅。此番他见了你这样整洁的模样，一定要说一声'孺子可教'了。"

霍桑微笑着应道："他指斥我的缺点还多着哩——什么素性怪僻哩，各项学科不能普遍注意哩，喜动不喜静哩，都是我当时的不良考语。不过他虽不能完全了解我的个性，但他的言行一致和循循善诱的精神，在现今教育界里真找不出几个，那是值得我们佩服的。现在他能想到我，有所委命，算是'荣幸之至'啊。"

"这件案子的底细，你已经知道了没有？"

"不。除了这一张电报以外，别无所知。"

"电报上却有'情节甚奇'的字样，似乎并不平凡。"

"是啊。因着这个，我才特地通知你。"

"这个吕志一教授你可也认识？"

"不，但他是一个知识阶级——你总知道知识阶级的人们，思想能力既然超出常人，如果犯罪，当然比较危险些。你可记得那位大学教授徐之玉——'活尸'案的主角，几乎使我没法应付。这案中既然牵涉了一个知识阶级的人物，我们自然也应当另眼相看。"

我点了点头，暗忖知识真像一只千里驹，尽足供驰骋之用，但若使没有道德的辔勒，失了驾驭，横冲直撞，危险也不堪设想。

二十分钟以后，我们已和翁校长在真茹车站上相见。他的年龄已六十开外，鬓发白得像雪，但他那挺直的躯干，奕奕的双目，精神饱满，还保持着中年的状态。他的服装很朴素，穿一套纯黑棉质的中山装；态度又和蔼，绝没有那些镀金教授们的虚骄"架子"。他一见我们，很热诚地握了一会儿手，随即发出几句又揄扬又勉励的欢迎话：

"你们俩都成功了！这是值得欣喜的，但你们别误会我的话，无论干什么事情，只需有一种专长，能够服务社会、国家和裨益人群，都是成功！已往，一般人都把做官发财算为成功，那是几千年来传统的腐化观念，最是戕害青年的志气。我们自认有理智有志向的人，都应当尽力纠正的。"

翁校长真不愧是一个热诚的教育家。他遇到了机会，便会实施他的训迪，不肯轻易放过。他这话的根据分明是中山先生的做大事不做大官的理论，也可见他的忠于主义。当时我们受了这几句褒奖，自然有一番谦逊。接着他请我们上了汽车，驶往他的学校。汽车进行的时候，他就把吕志一教授被捕的经过告诉了我们。

翁肃英道："这被害的曹纪新的住所——野云寄庐——就在这镇的北部，离我们的学校约有一里路。曹纪新喜欢打猎；我们的吕教授也有同一嗜好，因而彼此略略有些交谊。昨夜里姓曹的不知被什么人用枪打死。今天早晨，我们的吕教授突然被警察捕去，说他有行凶的嫌疑。这真是一个晴空的霹雳！吕教授的性情温和，行为又很端正，从来不曾见过他和什么人怄气斗力。他怎会干出这样的杀人勾当？可恨那班颟顸的警察，竟口口声声说他有凶手的嫌疑。这件事有关我们的校誉，这班人又不可理喻，因此我只得来烦劳你了。"

一会儿，我们的汽车就到达了校门。我们进了翁校长的那间雅洁整齐的办公室以后，霍桑才开始问话。我也整备好纸笔，以便把所闻所见记入我的日记。

吕教授的嫌疑

霍桑先问到吕志一的往史。据说他是美国哥伦比亚大学的文学硕士，回国只有一年，现任西洋文学系的主任。他原籍是吴江，现年二十九岁。他的嗜好就是打猎和摄影两种，因着他的秉性和婉，交际上也很活跃。末后，霍桑又问到这案子的本题。

他道："警察们说吕教授有行凶嫌疑，可有什么证据？"

翁校长道："据说志一有一只蜜蜡的雪茄烟嘴，遗留在死者家里，就算是唯一的证据。你道可笑不可笑？"

"那警察们说他行凶的目的是什么？"

"这个……这个更不成话了！他们竟说志一和死者的妻子发生了什么关系，才有这个举动。这一点对于我们学校的名誉更有影响。你必须尽力给他洗刷干净。"

霍桑移转目光，往我的脸上瞟了一眼。我已会意，这案子既然又牵涉一个女子，当真不能算怎样单纯了。

霍桑说："唉，他们竟有这样的指摘？但这种话势是不能凭空乱说的。他们有什么根据？"

翁老师道："那警官戎明德，曾在志一卧室中得到一张曹纪新妻子的照片，就认作是有暧昧关系的铁证。但我已经告诉你志一是欢喜摄影的。他给一个朋友的夫人摄一张照，因着摄影的成绩不错，留一张做个纪念，不是很寻常的事吗？"

"正是，正是。但我想吕教授大概还没有成婚吧？"

"是，还没有……但你总不会也怀疑他吧？"

霍桑忙接嘴道："当然不会。我问这句，就因料想那戎警官所以有这种推想，也无非因为吕教授未娶的缘故。但曹纪新夫妇是什么样人物，老师可知道一二？"

翁校长举起手来，抚摸着他修剃光洁的下颔。他的一双黑白分明的眼睛凝视在他面前书桌上的文件上面。他想了一想，才缓缓答话。

他道："我不太清楚。他们本来是江西吉安人，到这真茹镇来还只七八个月。他们的那宅住屋，本是一个上海商人所建筑的别墅，造了也不到两年。今年春天屋主人因着投机失败，这屋子便出租给这曹姓夫妇。这曹纪新据说难得外出，我不曾见过。据志一说，这人也曾在日本留过学，很有些化学知识。他所以住到这乡镇上来，打算专心在化学上做些研究。那女的姓戚，生得很漂亮，从装束上测度，也像是一个新式女子。因为有一次伊和志一在那镇口的石桥上散步，我曾见过伊一次。"

"吕教授和这妇人的交谊已到怎样的程度？老师平日可听得什么风闻没有？"

"我虽没有听得，但只是平常的友谊罢了。霍桑，你决不可想到牛角尖里去。"

"是，是。少停我希望和吕教授见一见面，这疑点总可以解释。"

"他还没有移解，你当然可以见他。这件事你总须尽你的能力，寻一个水落石出。"

"是，那是我们的职责，一定遵老师的教。"他立起来，"现在我们先到警署里去，瞧瞧那位戒警官。然后再到尸场去察勘一下。如果有什么发现，当随时通告老师。"

我们离了学校，往镇上行进的时候，我暗暗地向霍桑说道："这件事很难办呢。老师的成见似乎很深。"

霍桑点头道："这就是他的忠厚之处。他一经信任了人，便绝对不生怀疑。但我们的头脑应当完全中立，决不能受他的成见的影响。"

"万一侦查的结果，那吕教授果有可疑，我们又怎样对得住老师？"

"侦查是非，是我们的天职；师生的感情又是另一问题。你多少总有些科学的态度，那么这问题你也应当知道怎样处置啊。"

"虽然如此，你刚才不是已允诺他了吗？"

霍桑回过脸来，注视着我，反问道："我允诺他什么？他叫我尽我的能力，查一个水落石出。我所允诺的，原只是'水落石出'啊。"

我正要继续答话，忽有一种远远的招呼声浪，打断了我们的谈话：

"霍先生，你来得正好！我正要借重二位，给我证明一下。你们此刻不是从学校里来吗？"

我抬头一瞧，看见一个矮矮的胖子，身上穿着警官的制服，年龄还在三十左右，但他厚厚的上嘴唇上，却已留着些时式的短须。他的脸是圆形的，因着两颊的丰满，更圆得像皮球一般，因此就使那短阔的鼻梁形成平陷。他有一双小眼，却显得敏活异常。这个人的面貌确有上银幕的资格，若使细瞧起来，尽足使人发笑。这警官迎面而来，奔到我们面前，便立定了发出那几句招呼的话。

霍桑微微曲了曲腰，答道："你是戎明德先生？"

那胖警官忙点头应道："不敢，不敢。两位虽不认识我，但我在那件'黑地牢'案中，却曾仰慕过二位的丰采。但那时我只是一个警长，二位当然记不得了。"他说着又深深地向我们鞠了一个躬。我觉得这个人面貌虽然可笑，礼貌倒很周备。他继续道："刚才有人传说，翁校长已请了两位来侦查，并且你们已经到了校中。因此，我特地赶来迎候。霍先生，我如今的地位非常为难，不得不恳求两位的助力。"

霍桑答道："你希望我们怎样助你？"

戒警官道："那是很简单的。但须请你们俩证明一下，这案子立即可以了结。现在我们不要在这里站着。野云寄庐距这里不远，我们不如就去瞧瞧。"

这里有血呢

那戒警官一边殷勤地引导着行进，一边又把他过往的成绩说给我们听——那时我们已走到镇口——从车站往野云寄庐，必须从镇上经过。但那警官因着要顺便和我们谈话，特地避去烦嚣，从镇后的那条碎石铺砌的小径上绕行。这一着很合我的心意，因为从这小径上行进，可以望见田间的那由青色而渐渐转黄的稻秆，排列得非常规则整齐，映着那半空的朝旭，时时闪出一种彩光。石径的两旁接连着不少柳树，疏疏的垂条写出无限的秋意。远处三三两两的农舍和那桥脚下暂告休息的水车棚子，也都饶有画意。这种种景象自然远胜那尘浊烦嚣的街市。

那警官开始说："这案子大约发生在昨夜十一点左右。屋中本有男女二仆，那女仆才雇用了一个月，昨夜恰巧回家去了。那老年的男仆睡在后排的小楼上，连开枪的声音都没有听得，直到死者的妻子惊呼起来，那老仆方始从后面出来。这曹纪新死在楼梯脚下。似乎他在楼上读报的时候，听得了楼下的异声，走下楼来。那时那凶手必已进屋，伏在黑暗中；等到曹纪新走下楼梯，凶手便从黑暗中突然开枪，曹纪新无从抵御，立即倒地而死。因为室中的器物并无倾翻的异状，便是一个明证。有一点必须注意：曹纪新是被猎枪打死的，伤在颈项之间，连下颌的牙床都已损裂，情状很惨。至于凶手的进路，是撬开了正屋的西窗爬进去的；事成后却开了客堂的中门而出。所以这件案子的内幕原是很容易明了的。"

霍桑一边听那警官的报告，一边缓缓地行进，等戒明德说完，他才答话。

他道："你说的明了指哪一点？"

警官道："我想翁校长必已告诉你了。他校中的吕志一教授就蒙着凶手的嫌疑。"

霍桑点头道："不错，这一点我早知道了。但你凭着什么理由逮捕他的呢？"

那皮球形的脸颊上面微微嘻了一嘻，两粒乌溜溜的眼珠从眼角里向霍桑瞟了一瞟，表现出一种骄傲的得意。

他应道："理由吗？多着呢！第一点，曹纪新是被猎枪打死的。吕教授却是一个使用猎枪的专家。"

霍桑道："你已经证明那致命的猎枪就是吕志一的东西吗？"

戒明德道："尸旁并无猎枪遗留。但我已到校中去瞧过吕志一的那支短短的猎枪，确曾新近放射过。还有第二种证物，死者餐室中的地板上面，发现一只蜜蜡的雪茄烟嘴，就是吕教授的东西。"

霍桑淡淡地问道："你想他会得如此闲豫？他在行凶的时候，还能吸雪茄烟？"

戒警官向霍桑瞅了一眼，耸耸肩答道："我并不曾说他在行凶时吸烟，但那烟嘴也许是仓皇中从他的衣袋中落出来的。

还有一点，当我去逮捕他时，他的右手上裹着纱布，显见是新受伤损。"

霍桑又说："你刚才说他从暗中开枪，曹纪新因猝不及防而被害；室中又没有倾倒紊乱之状，明显不曾有过争斗。那么，他手上虽有伤痕，又怎能就算作行凶的证据？"

戒警官又嘻了一嘻，答道："不错。但我也说过，他是撬破了窗进去的。窗上的玻璃既已裂碎，伤手自然可能。怎能说不能作证？"

霍桑默默地走了一会儿，又说："那么你所以逮捕他，当初只凭着烟嘴和猎枪的两种证据，是不是？"

"还有呢。昨夜里有一个附近的邻居，曾看见吕教授独自向野云寄庐里去。这是我逮捕他的又一个充分的理由。"

霍桑忽目光闪了一闪："这个证人是谁？"

"就是那曹家西面茅屋里的一个乡妇，姓冯。"

"伊在什么时候瞧见的？"

"伊家里是没有钟的。据说夜色已很深，伊正要归睡，忽听得伊家的那只黑犬吠过几声。那妇人开了窗隔篱一望，瞧见吕教授从篱外经过，向曹家的宅子那边走去。"

"这乡妇会不会瞧错？"

"不会，那吕教授是穿淡色西装的，平日也常常从篱外经过。昨夜里又有些月光，那姓冯的女人说，瞧得非常清楚。"

"吕教授已承认这一点没有？"

"没有。当我去逮捕他的时候，他不承认昨夜里曾到野云寄庐里去。"

"你有没有向学校调查过？他昨夜里曾否离校？"

那种得意的笑容又在戒警官的肥圆的脸上一度显现："霍

先生，你的脑筋当真很精细！这一点我自然已经调查过了。据宿舍里的校役说，昨夜里吕教授的确曾出去过的；回来时夜已深了，手中还提着一种东西；并且态度上非常慌张。那校役虽没有瞧清楚他提的是什么，但可以料定是猎枪无疑。霍先生，你想这岂不也是一种要点？"

霍桑低垂了头，默然不答。他的眼睛并不欣赏那辽阔的原野，却兀自瞧着那条碎石的小径；他的牙齿却在咬着他的嘴唇。我也越听越觉得那吕教授确有可疑。因为戒警官所说的种种，竟头头是道，找不出什么破绽。这样，我们的翁老师不是最终要失望了吗？

警官继续道："霍先生，你如果还嫌证据不足，我还可以贡献一种重要的补充。"

霍桑突地停住脚步，仰起头来，问道："补充什么？"

"曹家里有一头凶猛的深棕色的猎犬，名叫迪克。昨夜里发生了这样一件事情，那猎犬竟始终不曾吠过。因为曹家的屋子虽是孤立无依，但东西北三面的数十码外，都有农舍。这里的农舍差不多每家有狗，昨夜却都不曾吠过。这也足以证明那凶手是一个时常出入的熟人，绝不是陌生人。霍先生，你说是不是？"

霍桑忽作惊异声道："唔，是的，这的确是一种……唉，对不起，戒先生，这条小径上平日可是常有自行车来往的吗？"

戒警官似不提防有这样的问句。他低垂了头瞧着霍桑所指的石径，呆住了不答。我也觉得霍桑的话有些突兀。戒明德顿了一顿，方始回答。

他道："那里有一条煤屑车路，横穿镇的中心，任何车辆都是走煤屑路的。这条路硗确不平，行车很不便利。霍先生，你为什么问到自行车？"

霍桑答道："没有别的意思。我从这边柳树根边，瞧见了一段邓禄普牌自行车的圆粒形车轮印，随便问问罢了。"

于是我们三个人继续前进。我向前一望，已见绿毵毵的杨柳丛中，隐隐显出些红瓦，料想那就是发生凶案的野云寄庐。但霍桑的目光依旧在石径的两旁溜来溜去，并不注意那远景。他又继续发问：

"戎先生，你对于吕教授的行凶动机，不是已假定他和死者的妻子有暧昧关系吗？"

"唔，正是。这一点我也有充分的证据。"

"什么？"

"第一，他平日常到曹家里去，这里附近的邻居都可以作证。第二，他和死者妻子时常在田野中散步，并肩密语的模样人家都是见惯了的。第三，我从他的相片簿中又曾发现曹夫人的一张照片。霍先生，你想证据理由既如此充分，我难道还不应逮捕他吗？可是那位不明事理的——唉，对不起，那位翁校长，却口口声声说我凭空诬害。我是人微言轻，怎能敌得过大学校长的势力？若使没有一个有力的人给我证明一下，我怎能担当得住？霍先生，你虽然是翁校长请来的，但我知道你是一个至公无私的人，绝不会因着情面的关系颠倒黑白。因此，我一听得你光临，就赶来求你……"

正在这时，霍桑忽又停了脚步，目光直射在地面上，嘴里发出一种惊奇的声浪：

"唉，血！这里有血呢！"

尸室中

这时候我们已走到了那红瓦洋房的近边。我们所经过的那条碎石小径，也已到了终点，和这碎石径接连的是一条较阔的煤屑路，直通那宅小小的洋房。在这衔接所在的碎石块上，留着好几滴血液，还很新鲜。当我们行进的时候，我和戒警官都不曾注意，但霍桑的眼光是无微不瞩的，竟被他发现了这个血迹。那戒警官也低着身子，向血迹上瞧了一瞧，接着抬起头来，皱着眉峰答话：

"唉！这个我倒没有注意。但这里是一条小径，出进时难得经过，因此我还来不及瞧到。"

霍桑道："幸亏难得有人经过，才保住了这个要证。这倒是很侥幸的！"

戒明德圆胖的脸上略略起了几条线纹，现出了些不安的神气。他反问道："霍先生，你说这血迹是一种要证？"

霍桑略一沉吟，缓缓地答道："你想这屋子里既已发生了一件凶案，这里却留着新鲜的血迹，我们怎能不加重视？"

一个穿制服的警察似已瞧见了我们，便从洋房外面的竹篱中走出来迎接。戒警官便赶前一步，和那警察招呼说话。霍桑却仍站住不动。他轻轻放下腋下挟着的皮包，取出一面放大镜来，伛偻着瞧验血迹和血迹的周围。他全神贯注地瞧察了一会儿，忽而指着一处，发出低低地惊呼：

"包朗，瞧，这是什么痕迹？"

我把霍桑手中的放大镜接过来，照样察验了一下："这也是血迹，不过已不是完整的血滴，仿佛经什么东西触抹过了。"

"是啊。但绝不是经靴鞋践踏的。"

"是。这光滑的石块上面现着很细的线纹，好像曾给块粗布揩抹过一下。"

霍桑摇头道："我瞧不像是布纹。因为只有纵纹，没有横纹。并且这纹痕的线纹很短。这小小一块上已有几个接段，而且略略有些弯形，很杂乱呢。唉，奇怪，这究竟是什么痕迹呢？"

戎警官忽远远地招手呼道："霍先生，包先生，那死者的夫人戚瑶芳女士因着法院里要来检验，刚才下楼。我们不如赶快进去，趁势向伊问几句话。"

霍桑应了一声，便收拾了放大镜，和我一块儿离了那血迹所在，走上煤屑路。他的眼光依旧不住地在地上观察，结果他又从煤屑路上发现了一段车轮痕迹。

这一宅野云寄庐是南北向的，前面一排正屋，共有三幢，左右两边略略凸出，式样很觉美观。那屋子用灰色的沙泥粉刷的，上下的门窗框子都是白漆，更有一种雅趣。正屋前面有一块草地，围着一圈网眼形的细竹篱笆。后面另有两幢小楼，和正屋的距离足有六十尺以外。后来我知道那个老仆瞿兆坤就住在这后屋楼上。这屋子虽没有直接毗连的邻居，但除了南面接近官道以外，后面和东西两旁距离不远，各有农夫们的草屋瓦房。

我们走进竹篱门时，看见一个警察和一个便衣侦探站在门口，似在那里迎接我们。我偶然瞧见那门旁的竹篱，有两个网眼方块，留着断折的痕迹。

我因指着说："霍桑，瞧，这篱上的断痕还很新鲜。"

霍桑也站住了答道："不错，这个也有注意的价值，但怎样断折的呢？若说有人越篱进去，因而损坏，那是不必要的。

因为这扇篱门不像是有锁的啊。"

我还没有答话，那旁边的便衣侦探，忽自告奋勇似的表起功来。

他道："这个我倒调查过哩。据那老仆兆坤说，前天有一个江湖乞丐，到这里来讨钱。这里的女主人给了他十个铜子还不肯走，嘴里还凶狠狠地咒骂。后来男主人从楼上赶下来，把他驱逐，那乞丐竟敢用武反抗。因此两个人在里面争持过一会儿，篱笆上才留这个断痕。"

霍桑连连点头道："你能注意到这点，也足见你细心。我还没有请教过哩。"

戒警官从旁代答道："这是总局里派来的王根香探目。他也是老公事了。"

王根香听了霍桑的褒奖，嘴角嘻了一嘻，脸上忽似粉上了一重金彩，那种得意的神气竟已按捺不住。一会儿我们已走进了篱门，穿过草地，霍桑又在那西面的碎窗口前站住。窗上的玻璃有一块果已碎裂，有少许玻璃的碎块仍留在框上。分明是那凶手先敲碎了玻璃，才伸手拔出窗拴，然后从窗里爬入屋中。

霍桑说道："这当真是凶手的进路。窗槛上还有半个皮鞋印子呢。"

戒警官已首先引导，踏上了中间的石级，我也跟在他的后面。正屋的中间是一个客堂，四壁粉着浅绿色，家具虽简单，却很雅致。几只西式的沙发软椅都罩着白布套子，中间摆一张小小的圆桌，桌上放着几本杂志，中文和日文的都有。一切器物果然都仍排列整齐。西首里是一间餐室，同样是新式的布置。壁上有一张放大的女主人的照片和几张风景画片；靠窗口的壁上有一个长方形的痕迹，颜色较深，不过地上并无坠落的镜架，也不见有争斗倾翻的迹象。那凶手就是从餐室窗口里爬进来的——窗上缺少一块玻璃。这窗是朝西的，窗口外面就是草地。东侧的一间是憩坐室，楼梯就在憩坐室的后面。那被害的曹纪新就倒在楼梯脚下，两足和梯级距离不到两尺，头部却向着南面。这时尸体上已盖着一条白色被单，有一个身材颀长的少妇，依靠着一个中年的女仆，正低着头在尸旁嘤嘤啜泣。伊身上穿一件玄色薄哔叽的旗袍，面部却被伊手中的白巾掩住，一时瞧不清楚。但瞧了伊的白嫩而细腻的肌肤，苗条轻盈的身材，便可信我们翁老师的评语并不过分。

戎警官轻轻走上前去，和那妇人说了一句，分明是介绍霍桑。那妇人抬起头来，我才瞧见了伊的面貌。伊的年龄约在二十四五，面貌的确很美：瓜子形的脸，两条细长的眉毛，一双澄波似的眼睛，如果眼圈没有略略红肿，确实有非常的魅力，足以颠倒一般少年。这时伊虽然不施朱粉，但那天然的颜色，已当得"不同凡艳"的考语。伊向着我们几个人略略点了点头，重新把素巾掩住了面部，不住地低声呜咽。

霍桑回了一个招呼，便偻着身子，把尸身上覆盖着的被单缓缓揭开。于是那形状可怖的尸体，便呈露在我们的眼前。

霍桑的工作

那尸体上身穿着一件日式的棉质睡衣，白底上有蓝线的方格，好像是国产出品；下身穿一条薄灰呢的西装裤子；足上穿一双棕色纹皮的拖鞋和一双白色的丝袜。那尸体是向右侧卧；他的左手搁在左股上面，手背的皮肤显得很黑。我把身子凑向前些，才瞧见那死者的面目。这人的伤痕果真在下颌和颈项之间，硬领已卸去，衬衫上染着不少血迹。他的咽喉已完全破碎，显见是被一种散子的猎枪所伤。那左面的面颊和右面的颧骨上，也有不少散子的伤洞，因此血淋淋地越见伤痕的可怖。他的两眼紧闭着，长黑的头发乱覆在额上，并且也有血污凝结。

那探目王根香说："这个伤痕厉害极了！分明一中枪立刻致命，连救命声都喊不出的。"

霍桑点点头，又旋转来向戎明德问道："这个尸体你可曾移动过？"戎警官摇了摇头，还没答话，那旁边的女仆忽自动地接嘴：

"刚才主母因为楼梯下不能通过，曾叫兆坤拖动过一下。"

霍桑又点了点头，立直了身子，仔细端详尸体。他又走到死者的足旁，重新低沉着头细瞧尸足上的那双棕色纹皮的拖鞋。停了一会儿，他方才移过被单，照样把尸体盖没。接着霍桑回到中间，向戎警官低声说了一句，叫他请死者的妻子到中间里来谈话。

一会儿那妇人低垂着头，被那中年女仆扶着，缓缓地走到中间里来。伊的瘦弱的腰肢，举步时似有一种自然的袅娜。伊在一只沙发上坐下，那手中的素巾依旧掩住了伊的樱口。

霍桑开始说："曹夫人，这案子发生的经过，我已经约略知道。现在还要问几句话，请夫人见告。"

那妇人略略抬了抬头，颦蹙着双眉，操着带九江土音的话语，答道："这件事我可以说完全不知道，因为这一次惨祸实在是出乎我们意料的。"

霍桑道："但昨夜里发案的时候究竟在什么钟点？夫人可知道？"

伊的目光注视在地毯上面，摇着头缓声答道："我不知道。

那时我已经睡了，纪新却还在书室中。他日间从事化学工作，晚上浏览书报，总要到深夜才睡。书室在东面的楼上，我们的卧室却在西面。故而他在书室中的动作，我是不知道的。后来我忽听得轰然的一声枪响——"

霍桑忽扬一扬手："对不起。你在听得枪声以前可曾听得其他声音？"

伊摇摇头："没有。我是被枪声惊醒的。"

"好。请说下去。"

"我当时还不敢起身。后来我呼叫不应，勉强穿了衣服下楼，扳亮了楼下的电灯，才发觉纪新已经倒在地上。当时我仓促间下楼，所以不曾注意到钟点。"

"你下楼发觉的时候，可曾瞧见凶手？"

"没有。"

"听得什么声响吗？"

"也没有。那时全屋子都是静悄悄的。除了我的丈夫倒在地上以外，这正屋中只有我一个人。那时我几乎吓破了胆！"

霍桑侧过了脸，问道："这个女用人可是也住在后面附屋中的吗？"

曹夫人道："不，周妈本是住在这正屋中的。伊的卧室就在靠东的楼下，但昨夜里伊恰巧回家去了。"

我因着霍桑的目光注视在那女仆的身上，我的目光也注视着同样的目标。那女仆的年纪在三十左右，肌肤虽然略现苍黑，但眉目端正，乌黑的眼珠也显得聪明伶俐。伊因着我们目光的集中，忽也低垂了头，又像含羞，又像畏惧似的。

霍桑说："那真凑巧了！周妈，你可是常常回家去住？"

那周妈疑迟了一下，才低声答道："不，我是难得回去的。

昨天……昨天却因着……"

我们的同伴王根香探目忽然从旁插嘴："你为什么吞吞吐吐？"

霍桑仍保持着他的婉和声浪，又问道："周妈，你不妨据实说。你昨天因着什么事回去的？你既然说难得回去，谅必有什么特别事情吧？"

那女仆顿了一顿，方始答道："是的，先生。昨天饭后，胜庆——我的当家的——曾到这里来找我。他又向我要钱，我没有给他，他就骂我，我和他吵过几句嘴。到了晚饭以后，主人恐怕我们夫妻俩失和，特地叫我回家去的。"

"你在什么时候走的？"

"晚饭过后，我把碗碟洗过了，才回去，大约八点半光景。到了半夜过后，这里东面的张阿土，忽到我家里来敲门报信，我才匆匆赶来。"

霍桑的眉毛似乎扬了一扬，又向那矮胖的警官瞅了一眼。那警官却似见非见，低着头并无什么表示。

霍桑又说："你家想必就在镇上吧？"

女仆点头道："正是，就在镇西的豆腐店隔壁。"

霍桑一边点头，一边又把目光移转到王根香的脸上。王根香倒像会意似的点了点头。

霍桑又向死者的妻子继续问道："曹夫人，请说下去。你发觉了这凶案以后怎么样处置的？"

伊答道："我走到梯脚下，看见了我丈夫血肉模糊的形状，几乎站立不住。我叫了几声兆坤，没有人答应，便放声骇叫。接着我受不住惊恐，便晕过去了。直到我们的男仆兆坤惊醒了赶下楼来，方才把我唤醒。我那时已失了常度，不得不回房卧下。回房时我才见已交十一点半。以后的事情，请先生问兆坤吧。"

霍桑谦和地点了点头："很好。对不起，还有一句话。这一次尊夫被害，那凶手究竟是什么样人物和有什么目的，夫人可有些猜想？"

霍桑的声浪虽很和婉，但他锐利的目光却始终不曾懈怠。他问到这一句话时，更是目不转瞬地注视着伊的神色。

伊又摇头答道："我完全没有想法。我已经说过，这件事是出乎意料的。纪新在这里的交友很少，更没有怨仇，我实在想不出谁会下这个毒手。不过……"

"不过什么？"

"我记得两三天前，有一个大麻子的江湖乞丐走进竹篱里来，强暴地向我们要钱，后来给纪新赶了出去。他临走时还凶狠狠地咒骂。先生，你想这样的人，可会因报复而行凶吗？"

霍桑迟疑了一下，应道："唔，这果然也有可能，不过要侦查这种流丐的行踪，我想戒警官总可以办到。除此以外，夫人可还有别的见解没有？"

伊沉吟着道："或许有什么偷儿……"

那矮胖的警官先时本默默地坐在旁边，圆脸上早已显露着不耐的神色，这时竟似按捺不住地从中插口。

他皱着眉头说："这话说得太远了。你家里不曾遗失什么东西，怎么会有偷儿？况且偷儿行窃，怎么会携带猎枪？就是你所说的江湖乞丐，这种人虽然强横不法，但也绝不会用了猎枪行凶。"

这几句话，我也不能不承认恰合情理。同时霍桑又加上一句重要的补充，更足反证伊的见解不能成立。

霍桑道："我听说你们有一头猛犬。如果有什么流丐偷儿们进来，这犬绝不会安静不吠。但据我所知，昨夜里那犬并不曾吠过。不然这里附近的犬也一定要连带狂吠起来了。"

那妇人点头道："是的，不过迪克现在却不知去向了。"

老仆的供述

这是一个新鲜的情报，显然霍桑也认作十二分重要。他微微前俯的身子忽而向后仰直；他的两手也不期然而然地握紧了，显得他的精神上的紧张。戎明德警官更是惊讶。他震了一震，便张大了两目，抢着向那妇人发话：

"怪了！这犬竟失踪了！你刚才怎么没有提起？"

那戚瑶芳现着些瑟缩不宁的样子，又用白巾掩住了嘴，不即回答，那旁边的女仆周妈又代替伊答话。

伊说："我们起先没有想到这狗。后来兆坤预备了早食喂犬，四面呼叫，才知道这狗已经走失了。"

戎警官咕着说："唉，那真是太奇怪了！这迪克怎么会失踪？"

我暗忖这胖子所以这样惊异，分明以为没有了犬，凶手便不能限定熟识的吕教授一人，他的推想便有推翻的危险。

霍桑沉着目光，点头答道："不错，当真是很奇怪的，而且很重要。我看这犬失踪的时间，更关重要。周妈，你说昨夜晚饭过后，约在八点半钟光景方才回去。那时候，那犬是不是还在这里？"

周妈低着头思索了一下，答道："在。那犬屋就在篱门的东边，我回家时似乎还看见迪克睡在犬屋里面。不过我不曾仔细留意，不能说定。"

霍桑又转过脸来，问道："曹夫人，你对于这一点可能证明？"

伊摇头道："我也不知道。昨夜里我有些头痛，很早就上楼了。"

戒警官向霍桑丢了一个眼色，努着嘴唇，说道："这一点很值得注意。我想迪克大概是今天早晨失去的吧？"他说这句话时，灼灼的目光凶狠狠地凝注着那主仆们的脸。但这两个妇人都避去目光，没有表示。

这时外面走进来一个年约六十的男仆，瞧他弯曲的腰背，花白的头发，近视的目光和举步时蹒跚的状态，便可无须介绍，猜知他就是那个感觉迟钝的瞿兆坤。

他在门口站住，低着头报道："主母！即刻有一个法警又来报过，法院里的检验官还须耽搁一会儿才到。"

戚瑶芳点了点头，似乎要立起来的样子。戒警官忽利用机会似的先立起身来，不等那老仆转身退出，立即高声阻止。

他道："且慢。兆坤，你不是负责喂犬食的吗？"

那老仆站住了，很恭敬地应了一声。戒警官又继续问话："这犬昨夜里可还在这里？"

"是，还在。我给它晚饭时，它还在竹篱里边的犬屋里面。"

戒警官又向霍桑瞟了一眼，他的肥圆的头颅也晃了几晃，分明表示他的推想到底没有打破。

他道："唉，我已经说过，迪克一定是在今天早上才失踪的。昨夜里这犬势必还在犬屋之中。如果有什么陌生人进来，它断不会安静着不吠。"

老仆忽摇了摇头，说道："这个还很难说。据我所知，昨夜里迪克并不是终夜在犬屋里面。"

这句话分明又引起了一个新的问题，莫怪霍桑和王根香、戎明德三人都现着惊讶的神色。那戚氏也仰起头来，向这老仆瞅了一眼，眼光中似露着厌憎的神气，仿佛嫌他多嘴。伊随即从沙发上盈盈地站了起来。戎警官分明还想继续问话，但因着这妇人的动作，又受到了霍桑眼角中的暗示，不得不暂时停顿。

霍桑也站起来，说："曹夫人，你身子上不是有些不舒服吗？好，你现在不妨上楼去休息一会儿。我们还须在这里略略耽搁。如有必要，我们可再来动问。"

伊把身子依靠着那中年女仆，答道："很好。我的丈夫死得太惨，总要请先生们尽些力，查明那个凶手。不过……不过我有一个忠告。刚才我听说这位警官先生已经把大学里的吕先生捕去了。这实在是误会的。吕先生和纪新的感情很好，若使疑心他是行凶的凶手，那是完全没有理由的。"

戎警官的嘴唇角上嘻了一嘻，似要发表什么辩难。可是这妇人说完了话，便旋转身子，向那东边的楼梯间走去。警官失却了发表高论的机会，耸耸肩，暗暗地做了一个嘴脸。我见当戚氏转身的当儿，伊美妙的眼梢曾第二度向伊的老仆发过一种警告的眼色，可惜这位老者的眼睛太近视了，分明不曾接收到。我们目送着这位少年孀妇走上了楼梯，那戎警官急不待缓的问句就再也按捺不住。

他问老仆道："兆坤，你怎么说昨夜里迪克并不是终夜睡在犬屋中？那么它又睡在什么地方？"

兆坤仍略无顾忌地答道："好像关在后面屋中的小间室里面。"

戎警官凶狠狠地说："好像？什么话！你如果想谎骗我们，

那你真是自己讨苦吃哩！"

那声调带些威胁，顿时使那老人变了面色，张大了眯缝的双目，瞧看这肥矮的警官发怔。

霍桑忙排解似的说："兆坤，不要慌。你得说得切实些，你怎样知道迪克曾给关在后面的小室中？"

老仆定了定神，方始答道："昨夜里我上床以后，仿佛曾听得一两声低低的吠叫，从我卧室楼下的小室中发出，似乎迪克被关入以后，要想出来，才断续地发出那种咿咿哑哑的声音。今天早晨，我看见后面小室窗上的一块玻璃破了，可见迪克最后还是逃出来了。"

霍桑的眼光又一度闪动："喔，那么迪克是吠叫过的，不过并不太响。这真是值得注意。"

他瞧着那老人，问道："兆坤，迪克的咿咿哑哑的声音，你在什么时候听得的？"

老仆说："时候我说不出，大概在我睡着以前。"

"你可听得其他声音？"

"没有。我一睡着后，连枪声都没有听得。"

"那么你后来怎样醒的？"

"我是给一种尖喉咙的骇叫声叫醒的。我觉得那声音像是主母，好像出了什么乱子，才爬起来奔到楼下。那时候主母已昏倒在地上了。"

霍桑点点头："好，我们去看看后面的小间再说。"

犬的问题

我已经记述过，那后屋和正屋的距离，约有二十码光景，中间隔着一方菜圃，又种着些花木。这一宅附屋共有两幢，门窗和结构虽带些西式，屋面却是本国瓦盖的。下面分作两大间：一间的前半部是厨房，厨房后面又分隔着一间柴间；另一间也分隔为二，一半是楼梯间，另一半本是一小间堆置杂物的小室，这里也就是关迪克的所在。霍桑就在这后屋面前站住了，其余的人当然也都立定。

霍桑探头向小室中看了一看，指着那窗框上玻璃的残块，说道："是的，里面很杂乱，这玻璃上也还留着些犬爪印子。关闭的问题已经没有疑惑了。兆坤，你可知道是谁把迪克关进去的？"

兆坤疑迟了一下，缓缓答道："我不知道。但这屋子里一共只有四个人。假使不是主母关的，一定是主人自己。因为我既不曾关过，周妈吃过了晚饭就回家去了。"

"你主人可常常把这犬关起来的吗？"

"有时候主人嫌迪克吠得讨厌，也曾关过几次，不过是难得的。"

霍桑回过头来，向戒警官道："从这一点上看来，你的推想似乎不得不修正一下了。这犬既已被关闭失了自由，那么即使有任何陌生人来，它自然也不能行使它的天职了。"他又转身来向瞿兆坤道："我想关犬的事绝不是出于偶然的。这几天你主人的言语态度可有什么异常的表示？"

兆坤沉思了一会儿，才道："我主人平日除了偶然出去打猎以外，本来难得出门的。这几天更整天伏在楼上的化验室里，绝对不出门。昨天午后，大学里的吕先生来访他。他下楼来谈了不到十分钟工夫，也就回楼上去了。现在想起来，好像有些异常。"

"唔，为什么？"

"因为往日里吕先生来了，我主人总要和他谈一会儿，不会一下子就分手。"

警官忽插嘴道："喔，吕教授昨天下午也来过的，来了十分钟就走？是不是？"

"是。"

"昨夜里吕教授又来过一次，你可知道？"

老人忽摇了摇头，向着戎明德呆瞧。戎警官有些失望。

霍桑继续问道："兆坤，你主人的异常状态从哪一天起始的？你仔细想想，可记得起来？"

这老人的感觉果然迟钝，记忆力也不很强固。他低头寻思了好一会儿，又掐着指头算了一算，方才答话。

他道："今天是九月五日，星期二。主人似乎从上星期五那天起始，便有一种不安的状态。"

"怎样不安？"

"他在星期五那天晚上，便吩咐我把前后门小心闩着，好像担心有什么偷儿进来。在星期日的午后，有一个强横的江湖乞丐在门口纠缠。主人忽然从楼上赶下来，动手把那山东大汉赶出去。这种粗暴的状态，往日里也是难得看见的。"

"此外可还有没有别的表示？"

"他在下一天又亲自动手，把他的那支猎枪取出来加油抹拭。可是在这几天中，他并不曾出去打猎。"

霍桑的眼光又突地一闪，显出十二分注意的样子。他略一寻思，又仰起头来继续问话。

他道："不错，你主人本来也是有猎枪的。戎先生，你刚才可曾查验过这一支猎枪？"

戎警官紧闭着嘴唇，微微摇了摇头。他似乎不但不能回答，并且也不愿霍桑有这句问话。

霍桑又问瞿兆坤道："这猎枪现在在什么地方？"

兆坤道："那枪本是放在餐室的壁角里的，想必仍在那里。"

霍桑点点头："好。停一会儿我要瞧瞧这支枪哩。现在我问你，你说你主人从上星期五开始，才发生这种不安状态，但你可知道那发生不安的原因？譬如有什么紧急的电报、信件或是有什么朋友来谈过话，或是从报纸上得到什么消息等等？"

那老仆又低垂了他近视的目光，似乎竭力在他的脑室中搜索当时的事实。一会儿，他一边仍注视着那小室旁边的短齐的山樊，一边缓缓地答话：

"主人的函件本来很少。那天我也不记得有什么送信人来。不过他的表姐夫，那一天曾在这里吃中饭。"

"唉，他的表姐夫？是谁？"

"他姓许，名叫子安。"

"可也是住在这镇上的？"

"是。他是这镇上恒丰当铺的经理。这宅屋子就是他经手给主人租的；我也是他介绍到这里来的。因为我起初曾在恒丰当铺里做过三年。"

"喔，这个人我很想见他一见。他可时常到这里来？"

"是，他是不时来的。不过今天先生若要见他，那也许办不到。"

"为什么？"

"昨夜里我被主母的尖呼声惊醒以后，因着屋子里只有主母一个人我不能走开，我就去叫醒了我们东边的种菜田的张阿土，请他去通知周妈和当铺里的许先生。据他说许先生昨天下午到上海去了。所以这件惨事他此刻还不知道哩。"

霍桑皱一皱眉，又抚摸着他的下颌。接着，他转过脸来瞧着戎明德警官，自言自语地说道："我想我们若能和这个人晤面一次，对案子是很有益处的。我想这件事总容易办到吧？"

戎明德低垂着头，又像失望，又像厌烦的样子，并不答应。但那总署探目王根香，却又自告奋勇地接嘴：

"霍先生，这个容易。他既然是当铺的经理，当然不难找寻。就算他今天去了上海，不久总要回来。"

霍桑微微地笑了一笑，又向王根香点点头。我觉得这一点头和一笑之中，分明含着几分奖励的意味。

他又回过头去向瞿兆坤道："还有一句。你主人可会骑自行车？"

"会的。我看见他骑过几次。"

"那么，你主人可有自备的自行车？"

"这却没有。"

霍桑想了一想，又道："你说昨天你主人不曾出去过，想来也不曾骑过自行车吧？"

兆坤摇头道："当真没有骑过。"

"那么，昨天可有什么客人骑了自行车来访你的主人？"

"没有。"

"可有什么送快信的、骑自行车的邮差到这里来过？"

"都没有。"

戎明德又插口道："大学里的吕先生，我也曾看见他骑过自行车的。"

那老仆道："不错，我也见过的。不过他到这里来时，总是步行的。他的学校离这里不远。"

霍桑对于这两句问答绝不理会。他的目光在那山樊上凝注了一下，便表示出一种决定了什么策略的神气。

他道："兆坤，我现在要瞧瞧那支猎枪。"

那老仆忽点头应道："好，我去拿来。"他回身向正屋走去。

霍桑忽摸出纸烟来，擦火吸着，又瞧着戒警官说："戒先生，我有一句忠告。这案子非常幻复，决不像你自以为所见到的那么简单。你的眼光也应得放远些才是。"

我见那胖子的脸上露出一种微笑。这笑中含着冷意，分明对于霍桑的忠告，不但没有诚意接受，还带些猜疑的轻视。这种神气，霍桑当然也觉察的，因此他的语气也就从忠告变为警告。

他道："戒先生，你不要误会才好。我生平所经历的案子，何止数十、数百件，但你决计找不出我在任何案中曾和人家有过争功夺酬的事实。所以你若想从这件案子上得些功劳，或者希望升迁你的地位，那你不能不先行改变一下你的眼光和态度。"

王根香连连点头道："对，我的朋友们也常常谈起，霍先生是最慷慨不过的。他每逢和我们联手办事，得了功劳，总是谦让不居。这一次他当然也不会例外。"

我看见那警官皮球形的脸上略略泛出些红色，他的舌尖又不住地舔着他的嘴唇，两只手也像无处安放。

他吞吐着说："我……我本来没有误会。霍先生，你的意思可是说那吕教授并无嫌疑？"

霍桑呼了两口烟，又向那菜圃上瞭望了一会儿，才旋转身子，缓缓向正屋走去。我们三个人也跟在他的后面。

他一边缓步，一边答道："我的意思，只叫你不要把你的目光单单放在吕教授一个人身上。譬如我们先前瞧见的自行车的轮痕、碎石路口的血迹和那猎犬的失踪，都应有深切注意的必要。这些问题都是很重要的，我想你此刻不见得都能解释吧？"

那戎警官的颧骨上面又不禁红了一红，眼光也不由得暗沉下去。他不曾回答。

霍桑继续道："我觉得迪克真是这案子的关键。它的不曾吠叫，起先我们觉得很困惑，此刻总算有了相当的解释。我们知道它是被主人关进了那间小室，才不能行使它守夜的责任。所以当那凶手走进正屋的时候，它自然已不能吠叫。不过这只是一部分的解释，其他的疑点还多。例如死者为什么要把它关起来？迪克既被关闭以后，又在什么时候破窗逃出来的？现在又往哪里去了？怎么此刻还不见回来？若说被凶手打死，怎么又不见犬尸？还有那……"

正在这时，我忽见那老仆神色仓皇地从正屋的后门奔出来。我们一行人也不由得停了脚步。他赶到我们面前，喘息着向霍桑报告：

"霍先生，我已经向四处寻过，那猎枪竟不见了！"

分　工

猎枪不见了！这的确是一种开展，又可以说是一种新的转变。因着这个转变，致使戎警官的推想根本被动摇。他起先以为曹纪新被猎枪打死，便以为有猎枪的只有吕教授一人。他的假定显然太轻率，并没有事实的根据。现在死者的猎枪既已不见，可见那致命的凶器也许就是死者自己的东西。那猎枪本是放在餐室中的，或许那凶手爬进餐室以后发现了那支猎枪，便利用着行凶；或是凶手进屋以前，那曹纪新早有准备，便取了猎枪抵抗，却不料那枪反被凶手所夺，纪新就死在自己的枪下。因此之故，凶手的嫌疑势必不能归给吕教授一人。我们几个人回到客室中计议之下，便假定第二种推想更近事实。因为据霍桑的见解，曹纪新嘱咐兆坤谨守门户和近几日中的不安状态，又故意遣开女仆，关闭猎犬，这种种都足以证明那凶手的来袭，他绝不是完全不知道的。所以霍桑假定死者预先准备抵抗，显然更近事实。但这个凶手究竟是谁？抱着什么目的而行凶？行凶以后，那支猎枪又往哪里去了？都还不能解释。戎明德的推测，在事实的转变下也不能不修正改变了。因此霍桑提出了分工合作的计划，便得到我们一致的赞同。

他道："戎先生，我们刚才见面的时候，你自以为这案子很有把握，只消我给你证明一下，立刻就可以结束。现在我不但不能给你证明，反而把你的'楼阁'拆毁了一半，把你引进了更深的疑阵。你不是有些失望？唉！你不用如此！据我看，我们此刻已找得了相当的线索，只消依着适当的计划，分头进行，解决也不在远。"

戎明德自以为是的态度，此刻已不得不消归乌有。他的圆脸上有些忸怩神色，他对于霍桑的建议完全接受，只有唯唯听命。

王根香道："霍先生，你想我可以担任些什么事？"

霍桑道："我觉得那许子安确是一个重要的角色。如果能见他一见，对于凶手的来历，也许可以知道一二。"

探目道："我已经说过了，这个容易办。我不妨就去找他。他说不定已经回来。"

霍桑点点头，又向戎警官道："据我观察，昨夜里有一个骑自行车的人曾到这里来过。你若能探悉他的来踪去迹，那你一定可以稳取首功。"

戎明德道："你确信凶手是骑了自行车来的？"

"大概如此。"

"这样，这调查的工作谅来还不难着手。"

"但愿如此。包朗，你也须分任些。吕教授既然还在镇上警局里面，你不妨就去见他一见。我还有别的工作，也不能不急急进行。少停我们在学校里会面吧。"

我所分担的任务，现在看来已可算无足重轻了。因为吕教授的嫌疑，经过霍桑的分析，大部分已经减轻，我去见他也不过是例行的公事，似乎没有多大关系。那被关闭的猎犬和猎枪是死者自己的，既已给吕教授洗刷了一部分的嫌疑，所剩的只有他和死者妻子戚瑶芳的关系究竟怎样，还待探索。我想起了这个妇人，伊的面貌姿态，虽觉楚楚可怜，但伊的态度似乎隐约间有些不太自然。若使严格些说，就用了"可疑"的字样也不算太过。因为我处于旁观的地位，觉得当霍桑问话的时候，伊的"不知"的答话未免太多；并且伊的面容上虽带着悲容，似乎也有些强饰。还有一层，伊在和我们分别的时候，伊对于那老仆的警告眼色和给吕志一辩白的话，更给我留下深切的印象。这种种在我都觉得可疑。但霍桑怎么绝对不提起伊？莫非他自己所担任的"别的工作"，就要向这一方面进行？可是我们在曹家分手的时候，霍桑并不曾留在曹家，却是匆匆地向着那条碎石小径上去的。

当我跟着戎明德警官往警局里去时，路上"各有所思"，彼此都默不交话。一会儿，我们已到了局中，戎明德忙着进行他的工作，我便一个人到拘留室前和吕志一会面。

那吕志一的年龄还不到三十，颀长的身材，足有五尺七八

英寸光景。脸形狭长，皮肤带些红棕，微微凸出的额角，瘦削
的下颌和明净的双眸，都表示他是一个富于思想的人物。他身上
穿一身乳白色的西装，头发却不太整齐。他的神气上充满着恼怒
和闷郁的意味，但并无畏罪恐惧的模样。

我和他说明了来意，他便开始陈述他的经过。

他说："这件事委实是我梦想不到的。我和纪新平日里无
怨无恨，怎会干这样的事情？这班混账的警官竟昏聩到如此地
步！岂不可恨？他说我是善用猎枪的，纪新既被猎枪打死，便
说凶手是我。这样的逻辑，说起来真是可恨可笑！他又把我的
雪茄烟嘴做了证据，其实这烟嘴是我昨天下午遗忘在纪新家里
的。他竟不容分说，便说我是在行凶时遗落的。包先生，你想
一个人在杀人行凶的当儿，怎么还用得着烟嘴？他竟凭空诬
陷，怎不教人着恼？"

我用着同情的语气，答道："不错，这两种证据，在事理
上委实是说不通的。但除此以外，他还有几种理由。"

"喔，还有什么？"

"他说昨夜里有人瞧见你往曹家去过，你却不承认这一点。
我不知道吕先生究竟有这回事没有。"

"有的，这确是事实。不过我当时气恼极了，不是不承认，
委实不屑回答他。"

"唉。吕先生，你在什么时候去的？有没有和曹纪新会面？"

吕志一忽接口道："不，我虽曾去过，实际上不曾进去，
所以也不曾和曹纪新会面。"

我沉吟了一下，又道："你为了什么事去的？"

吕志一道："昨夜里月色很好。我带了快镜，本想去摄取
青石桥的桥洞影子。你可曾见过那条桥吗？桥的建筑已古，半

环形的桥洞确有画意。桥脚下还有一棵老柳，风景很美。可惜我离校以后，月光忽被薄云所掩，光力减弱，不能摄影。我曾在桥面上等待好久，那月光却愈见模糊，终于失望而归。当我在桥面上时，曾吸过一支雪茄，因而想起了那只烟嘴。我记得昨天下午，我去访曹纪新，约他到昆山去打猎。当时我们在餐室中谈话，我本吸着雪茄，那烟尾我既丢在痰盂之中，烟嘴便顺手放在旁边的椅子上面，临走时竟没有想到。故而我想起了烟嘴，便趁着月色，准备到他家里去拿回来。但我走到他屋子的附近，远远望见他们的窗上已没有灯光，分明都已睡了。因此，我便也折回学校里去了。"

这解释还合情理。那姓冯的邻妇的见证既已有了着落，而校役所说的他提着什么东西，分明就是照相机，事实上都已合符。

我又问道："那时你可记得几点钟了？"

吕志一道："当时我曾略略疑讶，他们何以睡得这样早，故曾在月光中瞧过我的手表，恰交十点零三分。"

"那时你可曾觉察有什么异状？譬如路上有没有行人，曹家的屋中有没有什么声响之类？"

"我停步的地方，和曹家的屋子距离还远，屋中如果有什么寻常的声响，我当然听不见。但那条经过的煤层路上，却完全是静悄悄的。"

我想了一想，又问道："当昨天日间你和曹纪新会面的时候，你可觉得他可有什么异常的表示？"

"这个难说。他回绝我不愿到昆山去。他眉宇间的神色似乎暗示着楼上有什么紧要的工作，不能耽搁。所以我略谈片刻，就即辞出。我当时还以为他正在研究化学问题，现今回想，他确有一种焦急不安的状态。"

"他可曾吐露过什么足以证明他焦急的原因的话？"

"唔，没有。我们所谈的都是空泛闲话。"

"他的往来的朋友，你可也知道一二？"

"我也不知道。他也从来不曾谈起过以前的事情。我和他的交谊原是很肤浅的。"

"是。但我想你和他的夫人的交谊似乎比较密切些，是不是？"

吕志一顿了一顿，忽而抬起眼睛，在我的脸上凝视了一下，同时他的面颊上面也似略略泛出些红色。我默默地注视着他的神态变幻。

他缓缓地答道："我们也只是平常的友谊，谈不到密切。包先生，你也是新时代的人物，现在社交既然公开，男女的交际本是常事。那旧礼教中'男女授受不亲'的传统观念，在你的脑中，想来不至于再有什么权威了吧？"

我暗忖我本想探探他的口气，他却反用"新人物"的旗子把我的口掩住。可是我并未就此被慑服。

我又道："当然，我说的话也不是凭空无据的。据我所知，你时常和曹夫人一块儿出游，并且还有伊的一张肖照——"

吕志一抢着道："不错，不错。这都是事实。但朋友们偶然散步，总不能就算稀罕。那张照片是我给伊摄的，我所以保留起来，完全出于爱美的观念。包先生，请你不要像这班糊涂的警官们抱同一见解。伊现在怎么样？最好请先生尽一些力，不要教警察们凭空难为伊才好。"

他的话固然很冠冕，但我的意识之中，终还带着些疑影，可是这时候我又不便再行诘难。他对于右手的伤痕，说是上夜里回校的当儿，在校门外滑跌了一下，故而伤了些手背，急匆匆进校去裹扎。我向他安慰了几句，允诺他必给他洗刷明白，以便恢复他的自由。接着我就离了警局，回到校中，霍桑还没有回来。我先把经过的情形向翁校长陈说了一遍，老师非常满意，着实奖励了我几句。我休息了半点钟光景，膳堂的铃声正在响动，忽见那警局的探目王根香急忙忙进来。我一瞧见他的张目兴奋的神气，便知他一定已带来了重要的情报。

关于一个骑自行车的人的消息

在我的意想之中，王根香带来的消息一定是关于许子安的。这个人霍桑既曾特别注意，如已有什么消息，当然有利于案子的进行。不料他的答话又出我意料。

王根香说："许子安还没有回来。我已派了一个助手，叫那当铺里的一个伙友陪同着往上海去找寻了。我敢担保这个人如果有行凶的嫌疑，也决计逃不掉。还有周妈的丈夫周桂福，我也曾调查过。这个人虽没有正业，但昨夜里他们夫妇俩和隔壁豆腐店老板打了半夜牌，分明也并无可疑。现在我来报告的，却是另一种消息：我知道那凶手是从上海来的。"

我惊异道："什么？"

"刚才我遇见一个铁路警察，名叫方柏生。据说他昨夜里瞧见过一个骑自行车的人，曾从那煤屑路上经过。这煤屑路是通上海的，那人从东而来，当然是从上海来的。"

"他在什么时候瞧见的？"

"那时约十点敲过。方柏生落班回去，瞧见了那人，不禁引动他的注意。因为那时候路上的行人早已绝迹了。"

"他瞧见那骑自行车的人是到曹家去的吗？"

"这个他没有瞧见。但那自行车进行的方向，却是自东而西。他还瞧见那人穿一身学生装，不过颜色没有看清楚。"

我微微带些失望的语气，答道："这样看来，也不能就说这个人和案子有关系啊！霍先生虽然假定有一个骑自行车的人有行凶的嫌疑，但这个人却似乎不像。因为这人既然穿的是学生装，这里真茹大学校里的学生很多，安知不是有什么学生——"

王根香抢着道："不，不。你不要误会。方柏生只是说学生装，却并不是学生的制服。你总知道学生装现在很流行，已成为简便的西装，穿的人并不限于学生，况且还有颜色上的差别。"

"颜色上的差别？"

"这里大学里的学生制服完全是白色的。这个人穿的却是深黄色的。"

我不禁疑惑着道："什么？你刚才不是说那铁路警察没有辨别出那人衣服的颜色吗？"

王根香点头道："不错。我若是只凭方柏生一个人的报告，当然还不敢如此深信。我还有别的方面的证明。"

"喔，怎么样？"

"我得了这个消息以后，又曾到镇上去探听，希望得到另一个证人，以便证实这个报告。不料我所得到的证人不止一个。因此我才敢确定这个人和凶案一定有关。"

这几句说话自然又进了一步，使我从失望中产生了一些希望。

我道："那很好。还有几个证人？"

王根香得意地答道:"很多,很多。在四天前——那就是九月一日星期五——的午前,有一个穿深黄色学生装的中年男子,曾到这镇上来过。这个人是外乡口音,面目黝黑,一双眼睛更是可怕。他曾在镇上蕙风茶园中泡过一碗茶。他的言语状态都显示是一个陌生人。他逢人探问,要访问一个姓曹的人。这个人行动很奇怪,因此曾引起镇上人的注意。据好些人说,他后来曾寻到恒丰当铺里去。"

"你可曾到恒丰当铺里去调查过?"

"我去过了,确有此事。那人还曾和那个许子安谈过几句。不过谈的什么,当铺里的伙友们不曾听得。"

我不禁鼓掌称快道:"这样才合符了!我记得那老仆瞿兆坤曾说过,上星期五,因着那许子安来过一次,曹纪新才发生不安状态。现在看来,很像这个穿学生装的生客和曹纪新有什么怨仇。许子安把探访的事告诉了纪新;纪新就知道有仇人图谋报复,才小心谨防。不过他防得还欠周密,到底遭了那凶手的毒手。"

王根香连连点头道:"这推理委实再近情没有了!"

"是,不过我们必须把许子安找到,才能得到证实。"

"不错。这姓许的不先不后,偏偏在昨天出外,至今还没有回来。你想他可会有通同的嫌疑?"

我寻思道:"不会。他若使和凶手通同,当初就不应向曹纪新报信。这一点是两相冲突的。"

王根香想了一想,答道:"我们在没有找到许子安以前,这疑点当然还不能解释。"

我道:"这案子里疑点还多,譬如那猎犬问题还完全没有着落。你在这一点上也须特别留意才是。"

王根香答应了，就起身辞出，准备继续进行。我等候霍桑不归，就同着翁校长先进午膳。一点钟时，戒明德也打电话来报告。但我觉得他的报告还不及王根香的重要。他说他已经查得那个江湖乞丐，在昨天下午还在镇上，今天四处找寻，却已不见踪迹。他认为这一着太觉凑巧，所以已打发了人向附近的乡村中去追寻这山东游丐的踪迹。

又过了半个钟头，我正自无聊，才见霍桑回来。我凭着我的观察能力，很想从霍桑脸上刺探些他的工作成绩。不料他神色严冷，并不表示什么。不过就从他的严冷中测度，也可见得他对于这件案子虽未必已有把握，却也并不曾陷入失望的境地。

他先开口道："包朗，你已进过午膳了吧？我也已在镇上吃过些东西。你已见过吕志一没有？那两个人可也曾有什么报告来吗？"

我便先把我和吕志一会谈的经过申说明白。霍桑也和我意见一致，表示吕志一的解释确合情理。接着，我又将王根香和戒警官的报告说了一遍。霍桑对于乞丐的消息完全不加理会，但听了那骑自行车的生客，却表示一种满意的神气。这原在我的意想之中。因为这报告足以印合霍桑的推想，他自然要觉得满意。

我反问他道："你在这两个钟头之中可有什么成绩？"

这时我们所处的一室，本是翁校长特地给我们预备的。室中虽没有第三个人，但霍桑似乎为审慎起见，先把室门关上了，然后把身子仰靠着沙发的椅背。他先摸出烟来敬了我一支。我们彼此擦着了火。霍桑又把两腿伸了一伸，似表示他走路很多，足力有些疲乏的样子。我们静默了一会儿，霍桑才开始陈述他经过的事实。

哑谜关键

霍桑说道:"你总知道这案中最重要的证迹,就是那自行车的轮痕和碎石路口的血迹。现在据王根香的报告,那自行车的来踪虽已得到一种证实,但去迹还没有着落。我曾把那碎石径旁边的轮痕仔细察看过,我敢断定那就是那车子的去迹。你总也知道自行车的两个轮子,因着身体的重量偏在后轮,所以后轮的印痕比前轮的深;只需仔细察验,便可证明那车子进行的方向。可惜那石径旁边的轮痕,虽然断断续续地发现了好几次,但到了石径的终点,这轮痕也就找不到了。因为石径的那一端尽处,就是那条穿过学校旁边的汽车路。这汽车路可以直达车站,交通很繁;车印既多,再也不能辨别。这一点很使我失望。"

我道:"据你看,那凶手骑了自行车,从东面的煤屑路来;到了曹家,便破屋进去行凶;事成后仍旧骑了原车从西面的碎石径上逃去,是不是?"

霍桑紧皱着双眉,微微点头,应道:"大概如此。"

我道:"这样,你也用不着失望。那凶手分明是从上海方面来的;事成以后,经过了那条碎石小径,不消说就从那条汽车路往车站去的。"

霍桑道:"不错。从一方面看,这假定很近事实。但我们知道这凶案的发生,在昨夜十点半钟以后。那时虽有夜快车经过,但真茹站上并不停车。那么,那人为什么往车站去呢?并且我已到过车站去,问过那站长和那分轨的夜班夫役,都说昨夜里不曾看见过这样的人物。"

我寻思道:"对,这果真很难解释。并且那人既然是从上海方面来的，为什么不走原路回上海去，也是一个疑问。"

霍桑忽然把靠在椅背上的身子略略仰起，张大了眼睛，表示一种惊喜的神色。

他道："着啊！包朗，你这句话确有价值！这个人一来一回，为什么不走原路？这的确是值得注意的。还有一点，那碎石路口的血迹，你可有什么假定的解释？"

我道："这很像那凶手也曾受伤。这血迹就是那凶手留下来的。"

"你说那凶手也受过伤？有什么理由？"

"我们已知道曹纪新是被自己的猎枪打死的。或者曹纪新早有防备，那凶手进去以后，他也曾取了猎枪抵抗。那凶手因着争夺猎枪，才受伤。你自己不是也有过这个假定的吗？"

霍桑微微摇头，答道："是的，不过我的假定并不曾包括流血。要是真有挣扎的事，屋中的地板上面也应当留些血迹，并且那血迹应当一路滴落，怎么会单留在碎石路口呢？"

我思索了一下，答道："那人受伤的也许是鼻子。起先他用什么东西塞住，走到碎石径口，那塞鼻的东西偶然失落，鼻血便滴落在地上。"

霍桑顿了一顿，又道："还有我们所看见的那石块上的布纹似的奇异印痕，你又怎样解释？"

我迟疑着道："这个……这个……也许那人曾在那地方俯跽过一下，那印迹就是他的裤子布纹。"

霍桑又摇头道："不，不是。我自己虽也用'布纹'字样形容这个痕迹，但我敢说绝不是布纹所印。这也是困人脑筋的一点。"

我们的谈话在这里告一个小小的段落。原来霍桑说到这里，忽而停着目光，紧蹙着眉峰，换了一支新烟，兀自狂吸着，分明在那里努力思索。我也不得不静默下来。这个静默约莫延长两三分钟，霍桑才放下了烟，继续对我说话。

他道："我对于这个血迹，最初本也有一种见解；可惜没有证实，所以至今还不能成立。"

我道："你的见解怎么样？莫非不承认是凶手所遗留的？"

"我认为那是犬的血迹。"

"犬的血迹？这一点怎样解释？"

"我认为那犬在禁闭的当儿，听得了正屋中的声响，便奋力地破窗而出。那时凶手为自卫起见，便将狗打死。不过我在四面检查过一回，却没能发现犬的尸体。因此这推想又解释不通。"

"我想那凶手在百忙之中，绝没有闲工夫把犬尸埋葬好了走吧？"

"原是啊。他不但没有工夫埋葬，并且也没有埋葬的必要。那屋子后面有一条小河，我也曾在河边发现过一个浅洼，分明是有一块石头被移去的遗迹，很像有人用石头压沉什么东西。但我想不出凶手有掩藏犬尸的理由，所以我也不曾到河中去捞摸过。"

我沉吟道："不错。但据你所说，那犬既在发案的当儿逃出，它见了凶手，势不会静默不吠。即使它立刻就被凶手杀死，在情势上也绝不会一点儿吠声没有。这样看来，那死者的妻子更觉有可疑之处。虽然那后屋中的老仆，因为昏聋沉睡，所以没听得什么，但这妇人总应当听得的。但你问伊可曾听得什么声响，伊却回答没有。这未免使人可疑。"

霍桑默默地吸了一会儿烟，忽又仰起了身子。他的双目闪了一闪，唇角上又露出一种不自然的微笑。

他瞧着我道："喔，你也觉得那妇人可疑吗！哈！包朗，不是我恭维你，你的态度确乎更近于科学化了。"

我笑着应道："唔，你还取笑我？我的态度本来是很公正的。我虽拥护女权，但就真理的立场，却决不因女性而有所偏袒。我觉得伊的'不知'的答语似乎太多了些。我的观察如果没有错误，伊虽遭了这样重大的变端，神气上却不见得怎样悲戚。"

霍桑的目光移注到地板上面，缓缓答道："不但如此。我还有一种更深的印象。伊明明不愿意彻究这案子的真相呢！"

"是啊。我也觉得伊对于我们不但没有欢迎的表示，却还有些厌憎之色。"

"这一点我也感觉到了。伊对于那个说实话的老仆曾表示过严重的警告。"

我不禁提起了精神，应道："对！我也早就觉察。既然如此，我们何不就从这条线进行？我敢说这哑谜的关键一定握在伊的手中。我们又何必劳而无功地向暗中摸索？"

霍桑忽摇头道："不，包朗，你又犯了躁急的毛病了。我也知道这妇人握着这案中的一个重要'钥匙'。不过这条线索我们决不能轻易乱用。我们若不把四面的围墙界址和前后的路线弄一个明白，便贸贸然直叩这一扇重要的中门，那真未免要劳而无功了。"

我也承认霍桑这句说话的确有充分的理由，我当真有些性急。不过眼前的疑问太多了，闷着也很难受。例如这妇人的嫌疑究竟已到怎样的程度？伊对于丈夫的被害可是知情的或是通同合谋的？或是伊只因着别的原因有所顾忌，故而不愿这案子的真相显露出来？若使伊果真是合谋的，那么伊有没有直接参与这凶残可怖的行动？伊和那骑自行车的推想凶手究竟有关系吗？并且伊和吕教授有怎样的关系？这种种都是当前的疑问。我不知道霍桑对于这些问题是否已有什么见解。可是这个当儿，又发生了一个意外的岔子，戒警官汗流满面地走进来。我的疑问竟没有发问的机会。

黑夜中的工作

据我观察，戒明德太过于自信，他的眼光和推想也未免流于偏执。这一次若没有霍桑的能耐，用了具体的理由摧毁了他的成见，和这种人共事委实不容易有合作的效果。我存着这种成见，所以对于他的工作委实已不太重视。谁知这也是我的偏执。戒胖子这一次带回来的报告，霍桑竟认为十二分的重要。这倒是出我的意料。

戒明德又现着略略带些傲慢而自得其乐的神气，大声说："霍先生，你对于那猎犬问题可已有了着落没有？"

霍桑急忙立起身来，用手摩一摩那条灰色花呢裤子的膝盖部分，抽一抽那蓝地儿白星的领带。他的精神分明已因着这句话的刺激而突然提振。他瞧着这警官，谨慎地摇摇头："没有啊。你是不是已经得到什么消息？"

"正是。我敢说这消息非常重要！"他一边抹着汗，一边说。

"唉，那么，你当真可以得首功了！"

我听得出这是霍桑由衷的赞美，并没有讽刺的成分，因为他的眼光和声调都给我明显的证据。戒明德自然又现出一种使人不易忍受的卖功神气。不过，他在这一点上确是"其功非小"。

霍桑接着问道:"戎先生,迪克怎么样?是不是已经死了?"

戎警官呆了一呆,反问道:"喔,你也知道了?"

"不是被枪打死的吗?"

"正是。不过不是猎枪,却是手枪……霍先生,你怎样知道的?"

霍桑不答。他的眼光低了一低,继续问道:"那犬尸在什么地方?"

"它在真茹车站西面的一条水沟中,并没有遮蔽掩埋。那里离车站约有半里光景。有一个叫顾三虎的乡下人,今天早晨在镇上茶馆中谈起这回事,被我警局中的一个警士听到了,便把顾三虎带到警局中。我问明了那犬的毛色是深棕色的,马上去看了看,果真就是曹家的迪克。现在我已把那死犬扛回警局中。霍先生,你可要瞧一瞧?"

当戎警官陈说发现死犬的经过的时候,霍桑背负着手,在室中不停地踱来踱去。他对于戎警官最后的问句,仿佛没有听得,并不回答。可是他踱了一会儿,忽然暗暗地惊呼了一声。接着,他突地站住了脚步,旋转头来,忽又向戎明德发出追补的答复。

他道:"是,我当真要瞧瞧的。戎先生,那犬身上可是中了两枪?"

戎警官忽而张大了圆眼,又变了颜色,向霍桑呆瞧着。一会儿他才期期然答道:"是的,当真有两个枪洞。但……但是……霍先生,你怎样知道的?可是你比我先……"

霍桑的呼吸似乎也加了速度,他自顾自地抢着问道:"内中的一枪,不是打中在那犬的后腿上?唉!唉!我们不必说空话了！赶快去瞧一瞧！"

霍桑的神经似乎激动得太厉害，动作上也有些失常。他不等戎明德的许可，便取了帽子，拉着戎警官就走。一刹那间，这两个人已离了学校。

霍桑神态的这一种变幻，我相信我是能够理解的。他的精神所以如此兴奋，分明已受到了什么重大的刺激。这刺激的主因，一定是他的脑室中构成了什么新的有力的推想。他怎会知道那死犬中了两枪？这当然不在我的理解范围之内。但我很希望他回来以后，可以打破这疑团。不料霍桑这一次出去，足足消磨了两个钟头，回来时天色已将近黑暗了。

他回校的时候，精神越发张皇。他平时临乱不变的定力，这时候竟也起了小小的摇动。我觉得他在这两个钟头中的工作情形，比我先前的疑问更重要些，因此就舍轻就重地向他发问。

他很得意地说："包朗，我的推想已有一部分被证实了！今天晚上，你必须助我一臂，以便搜集另一种重要的证据。若能如此，我的推想便可以全部成立，这案子也马上就可以结束了！"

我曾说霍桑的精神非常兴奋，但因着这最后一句话，我的精神竟也传染似的同样兴奋起来。可是我无数的问句还没有出口，霍桑忽又发了几句扫兴的话。

他道："包朗，我请求你耐性些，不要强迫着我解释。你要问我经过的工作，我可以约略报告你听。我到过警局中，果然瞧见那犬尸上有两个枪洞：一枪在头部，一枪果真在左后腿上。我又见过那吕志一，他此刻已移解到法院里去了。他既然因着嫌疑逮捕，若不经过法院的侦查，势不能随便释放。后来我又到发现犬尸所在的地点去察勘过一次。那水沟已大半干涸了，就在轨道的下面。轨道旁边本有一条四五尺阔的泥径，那犬分明是从泥径上滚下去的，因为径旁还染着血迹。我又在泥径上发现了好几处自行车的轮痕，同样是圆粒形邓禄普牌子的。别的话暂且缓谈……那不是晚膳的钟声吗？我们吃过夜饭，还须干一些繁重的工作呢。"

晚饭过后，又耽搁了一个多钟头，霍桑忽向翁校长借了两身校役的旧衣服，另外又借了两根六七尺长的竹竿，却并不说明有什么作用。我起初本也不知道他的用意，后来见他从皮包中取出了那个系绳的铁钩，方才猜想到我们工作的性质。

这晚上本是上弦，天空中有着半规形的月儿，不过被薄薄地盖了一重浮云，月光并不耀亮。这一点很适合霍桑的希望。因为我们离校以后，霍桑仍从那条镇后的碎石小径上行进，分明要避去人家的注意。我们的行进方向，本向着那宅野云寄庐，但据我料想，我们不像是到曹家去的。因为我们既已变了装束，霍桑所携带的铁钩，又本是向河中捞摸东西用的，可见我们此行，绝不是去拜访谁何。我记得他在以前的案件中，曾经利用过这铁钩，所以我明知这一次也必有同样的工作。我们到了那碎石路将近东首的终点，霍桑果真转身向北，向着那条小河行进。我暗忖霍桑先前曾说过，他在河边发现过一个浅洼，曾有犬尸被抛沉的假定。后来他又觉得凶手没有沉犬的理由，这假定也没有成立的可能，故而最终放弃了打捞工作。但现在犬尸既已有了着落，他怎么反而旧事重提呢？

我禁不住低声问道："你希望捞取些什么？"

霍桑附着我的耳朵说道："小心些，不要多说。我们的行动不能给任何人瞧见，尤其须谨防这野云寄庐中的人们。"他略停一停："我们捞取的目的物，如果此行不虚，我也决不能瞒过你。"

我们悄悄地走到河边。霍桑摸出怀中电筒来向岸滩上瞧察。一会儿，我见那电筒的光停止在一处。我蹲着身子一瞧，便发现那个浅洼！这洼口是一种不整齐的长方形，长度约有十寸；估量那块被掘起的石头分量一定不小。

霍桑把他手中的竹竿分一根给我，低声说："你试向河底中探一下子，有没有柔软的东西。"

我明明知道这河滩上既有这浅洼的遗痕，很像有什么人利用了石块，抛沉过什么东西。不过这抛沉的东西，霍桑只用"柔软"的字样形容，至今还不肯说明，未免使人牙痒痒的。我既不便究问，只依了他的话，取了竹竿向河中刺探。

那河面虽不很阔，日间也有船只往来，河心的最深处，约有四五尺深。我和霍桑二人分了两个地点，向河底刺探。我想到这石块的遗迹，假使果真如我们所料，并不是偶然移动，却当真是被人利用着压沉什么东西的，那么，这东西的抛沉之处和这浅洼的距离一定不会很远。

不一会儿，我不禁惊呼道："唉，霍桑，在这里了！"

霍桑急忙奔到我的面前，又探头向岸上瞧了一瞧，向我作抱怨声道："你怎么这样粗心？万一惊动了屋子里的人们，那未免前功尽弃哩！"

他说着，也把他自己的竹竿依着我所指示的方向轻轻地刺探。

他又低声向我道："正是，这东西很像——"

我接口道："很像一个铺盖。莫非是一个尸体？"

霍桑并不答话，却把竹竿放在河滩，取出那根连绳的铁钩，开始向河中丢掷。他丢掷的手法也曾加以练习，虽然久不经用，却仍非常娴熟。他丢过第三次后，那钩子便钩住了河底上的某种东西。

他又低声说："包朗，你先拉着这根绳子，助我一臂。"

于是我和他合力拉着绳子，把河底中的东西渐渐拢近岸来。一转瞬间，霍桑已俯着身子，伸手入水，将一个湿淋淋的包裹拉出了水面。他把电筒在那捞起来的东西上照了一照，便禁不住发出一种惊喜的低呼：

"包朗，王根香的调查和报告都不错！我的推想已经证实了！现在我就说这案子已经破获，你也不能说我太夸张哩！"

霍桑的声浪低沉而颤动，眼睛也像灼灼地有火。他这时候的态度，真像一个抱发财迷梦的穷汉，一旦发现了宝藏，自然情不自禁地欢喜起来。我还是莫名其妙。我不知道这个湿包究竟有什么神秘魔力，他竟认作是破案的要证。

我低声问道："这包里是什么东西？"

"你自己瞧啊！"他已将那湿包拖上了岸。

我仔细一瞧，那是被绳子捆扎在一起的几件衣服，系连着一块足有三十多斤重的大石和一支三尺多长的双管猎枪。那衣服是一种黄色帆布做的军装。我才领悟霍桑即刻所说的话，这衣服一定就是王根香所说的那个骑自行车凶手的学生装了。

霍桑又低声道："这一支枪和一身衣服——我想里面还有帽子皮鞋——都是案中的要证。包朗，你别问，姑且把这个包带回校中去。我还要往镇上去走一遭，和那探目警官们接洽一句话。"

当我提着这个湿衣包和猎枪回校里去时，心中兀自地怀疑。这一支枪既然是凶器，抛弃了还有理由，但这一身凶手的衣服怎么也会沉在河中？莫非他行凶以后，恐防他事前被人瞧见过，

他的衣服容易引人注目，为避免危险起见，才改换装束，把旧
衣沉在河中灭迹？但他逃走时穿的是什么？难道他动身行凶的
时候，竟预备了两套服装？并且他改换服装，怎么会如此心
细，连皮鞋都完全换了？我又推想霍桑侦查的经过。他凭什么
根据知道河中的沉衣？并且这一身沉衣究竟有什么不可思议的
作用，竟使霍桑认作是全案的关键？我的疑问越积越多，最终
索解不得。

　　我回到了校中，把包裹带进了翁校长为我们布置的那间卧
室中，静坐着等候霍桑回来。半小时后，忽有一个便衣警士送
了两封信来：一封给我，一封叫我转交翁校长。这两封信都是
霍桑写的。我拆开了那封给我的短信，更使我感受一种出乎意
料的诧异。

　　那信道：

包朗兄：

　　我们在这里的工作已经完毕。我现在必须赶着十点零
一分的末班车回上海去。因着时间的局促，恕我不能和你
同行。明天你也可早回上海，包裹可交给翁校长暂时保
管。至于这案子的结束，眼前还不能急切从事。如有进展
的消息，我一定随时通知你。

霍桑上
九月五日晚，九时五十五分

落　网

　　九月六日星期三上午九点钟，我带着一颗迷惘的心到了上

海，便赶到霍桑寓里去看他。不料扑了一个空，霍桑已经出去了。据他的旧仆施桂告诉我，他上夜里赶回上海，原打算和一个姓许的人会面，却没有成功。这天一早出去，大概仍旧是去找这姓许的人的。

这一天我没有会见霍桑。直到晚上七点钟时，霍桑通一个电话到我的寓所，告诉我他已见过恒丰当铺的经理许子安。他本希望从许子安身上探听曹纪新夫妇的以往历史，可惜也没有结果。据许子安说，他和曹纪新虽属表亲，但好几年已不通音问。这年春天，曹纪新忽来找他，声言他已结了婚，正打算找一个静僻的所在，从事化学的研究。许子安就给他租赁了那宅野云寄庐。至于他们夫妇结合的情形和已往的历史，许子安并不深悉。他只知道曹纪新从日本回来还不到一年；曹纪新略微有些遗产，他们的生活就靠这遗产支持。关于那个穿黄色学生装的陌生客前往当铺访问一事，许子安也承认确有其事。许子安并不认识那个人，但瞧他结实身材的和风尘满面的状态，好像是一个军人。那人也操江西口音，分明和曹纪新有些关系。那人当时并没说出他的姓名，只探问曹有福的下落，许子安明知有福是纪新的乳名，猜度那人的来意一定不善，当即回绝不知道，并且否认他自己和姓曹的有什么亲戚关系。但事后许子安曾把这回事告诉过曹纪新。所以霍桑的探查可算毫无成就。至于我问他这案子究竟何时结束，他又轻描淡写地只给我说"静待时机"四个字。

三天过去了，我还不曾得到霍桑的结束消息。我满怀的疑团还是没法打破。在九月九日星期六的晚上。霍桑又给我一个聊以慰藉的消息。据说，那辆圆粒形轮子的自行车已在南翔车站附近的稻田中被人发现。这是戎明德的报告。可见那凶手当时是骑了自行车逃到南翔去的，然后丢了车子，换火车逃走。
到了十日的上午，霍桑又给我一个消息，似乎比较重要些。他
得到了那负责监视野云寄庐的王根香报告，在九月八日那天，
那女主人戚瑶芳已把那老仆瞿兆坤辞歇了；同时伊又曾打发那
女仆周妈往法院中去探望那吕志一。因此又重新引起我对于这
一女一男的怀疑。

这样又挨过了一个星期。直到九月十六日那天的傍晚，霍
桑才给我一种重要的通告，我的郁懑不耐而近于失望的情绪方
始重新振作起来。他叫我立刻往火车站去，并说这案子的最后
结束就在这天晚上。

我赶到北车站时，六点三十五分的常沪车将近到站。霍桑
已在月台门口等我。他一见我，便悄悄地把我拉进了人群之
中，才低声问我说话。

他说："包朗，对不起。我知道你这几天一定感觉到非常
烦懑。不过这也是不得已。今天你总可以舒畅一下了！其实我
的性急不耐，并不输你。但这件事的最后结束不能不等候自然
的发展，否则'欲速不达'，也许反而会坏大事。"

我道："那么这'自然的发展'，今夜里可是真已到了成熟
时期？"

"是，不但成熟，我敢说马上就可以结束了。"

"怎样结束？莫非那凶手——"

"是啊。凶手立刻就要来哩。你张着眼睛瞧吧。"

我老实说，那凶手是谁，至今还没头绪。霍桑显然早已认
识，此刻似乎正在等那凶手从火车上下来。我的"凶手是谁"
的问句本已挂在嘴边，但已没有说出来的机会。这时候常沪车
早已进站。乘客们纷纷下车，声浪十分喧阗，那月台的出口也

顿时拥挤起来。我和霍桑本站在收票的出口附近。乘客虽像潮涌般地从出口处吐出来，却都逃不掉我们的目光。我只随便瞧着，因为根本没有确定的对象。不一会儿，霍桑拉我的衣角，低声说了一声"来了"，便从人群中挤轧出去，站到了前排。我也就利用我的目光做一种试验，仔细辨别那拥挤在收票处的乘客们，究竟有没有可疑的人物。不多一会儿，果真满足了我的期望，而且有些惊异。

我瞧见一个穿黑色旗袍的女子正从那出口里鱼贯地走出来。那就是曹纪新的妻子戚瑶芳！

什么？难道凶手就是这女人？这样一件惨怖的凶案，竟是一个女子——一个美貌柔娜的少女——的成绩？这真是匪夷所思了！我在惊异之余，忽见霍桑也踮起了足尖，运用他的敏锐的眼睛，向着戚瑶芳的前后竭力辨察，但他不像有动手阻拦的行动。他的嘴唇微微一动，有一种失望的神气笼罩了他的面部。

这时戚氏已离开了出口，跟着两个夫役，掮着几只皮包箱篋，向着铁栅栏外面走去。

霍桑忽自言自语地说："奇怪！伊怎么竟一个人来？奇怪！……奇怪！"

这句话才解释了我方才的疑团。凶手并不是这女子，却还另有其人。我才吐了一口长气。霍桑向我招一招手，正准备尾随伊的行踪，他又回头一瞧，忽又停步。我也依着他的视线瞧去，有一个戴铜盆帽、穿玄色呢袍子瘦长身材的男子，也急急地从出口里出来，似在追随这妇人。霍桑的目光一闪，拉住了我的膀子，赶紧一步走到那男子的背后，伸出手来，轻轻地在那人的背上拍了一下。我以为这人大概就是凶手了。不料那人旋转头来，又使我意外地失望。这个人就是那探目王根香，不过换了服装，我一时却辨不出来。

霍桑和王根香附耳交谈了几句，便点点头仍继续前进，紧紧追随那妇人的踪迹。一会儿那妇人已出了车站的范围，踏上马路，站住了向左右探望——很像一时不知往哪方面进行，又像等候什么人接应的样子。我们当然也站住了不走。但我们全部神经却高度紧张，目不转瞬地瞧着伊的周围。

正在这时，我忽见靠铁路的附近停着一辆汽车。有一个穿西装的男子从汽车中下来，赶过来和那妇人招呼。我一瞧见他们俩招呼的状态，立刻知道了他们的关系。那男子的身材适中，头上戴一顶鸭舌帽子，压覆得很低，模样很像吕志一教授。我的心房又不禁突突地乱跳。如果是他，我们又怎样回复翁校长？我走前一步，仔细一瞧，才见那人戴一副黑玻璃眼镜，面色非常白皙，却并不是红棕脸色的吕志一。他的面貌我从前不曾见过，我完全不认识他。我回头瞧瞧霍桑，他的脸上却浮着一种惊喜的神气。他的眸子在闪动，他的肌肉很紧张，可是他还保持着镇静状态。他的两手插在衣袋之中，绝不轻举妄动。王根香也站定在旁边，一眼不霎地注视着这一男一女。

一分钟后，那夫役们已把皮包送上了汽车。那男子便开了车厢的门，先让妇人上车。接着他自己向司机说了一句，也就弯着腰踏进车厢，准备上车。可是霍桑变幻莫测的动作往往出人意料——"静若处子动如脱兔"的成语，尽可形容他当时的情态。在那男子还没有把汽车门关上，霍桑早已跃步跳到了车前。

他高声说："曹有福！慢些！"

曹有福？奇怪！我又回进了迷阵里去！霍桑继续对汽车中

的男子说话：

"唉，对不起，我现在应得称你曹纪新先生了！是不是？唉，曹先生，你不是打算往黄浦码头去吗？对不起，这个不能不扫你们的兴了！你如果已经购好了船票，这损失也是免不掉哩！"

当霍桑说这几句话时，他的一只手，已经攀住了汽车的门。王根香早也赶到面前制止那司机的动作。我却站在霍桑的肩后，正想窥探车中人们的神色态度。

我看见那男子的额角上露着青筋，圆睁着双目，张大了口，露出两排镶着血龈的白齿。他的那种惊骇的状态，正像一头遇猎抵抗的猩猩。同时他的右手似乎有一种动作，我不由惊呼起来。

我呼道："小心！他要开枪了！霍桑，你——"

可是霍桑的举动比我声浪的速度更快。我见他扬一扬右手，铿的一声，有一支手枪已从车厢门口落到地上。霍桑弯着腰镇静地把手枪从地上拾了起来，回头交给了王根香。

他说："根香兄，这个就是正凶。你就乘着这辆汽车一块儿去吧。这一支手枪，一则可以防身，二则也是案中的要证。这里人多声杂，别的话我们再谈。"

......

那曹纪新是案中被害的人，在我的意识之中原没有丝毫疑义。不料这最后的结果，来了一个大转变，曹纪新竟是凶手，被害的却属另一个人。这当然是完全出我意料的。但霍桑凭着什么根据，独能揭破这一幅秘幕？当时我除了惊奇以外，绝对猜想不出。所以我一回到他爱文路的寓所里后，便急急地请他解释。

据霍桑自己说，他当初也不曾想到换尸的把戏。不过他看见了那尸体的状态曾经移动过，那方格条纹的睡衣上面染血不多，那尸足上的一双棕色纹皮的拖鞋似乎略嫌短些，因此也曾发生过一些疑影。但这只是一时不可索解的疑影罢了，他也绝不会怀疑到换尸。他唯一的破案要点却在那只猎犬身上。

他解释道："这迪克的失踪问题，我早就认为是全案的中心。我们曾假定迪克所以被禁，定是曹纪新预先知道有人寻仇，并且准备了对付之策，才将迪克禁闭起来，以免临时坏事。后来迪克破窗而出，也一定是因着听得了正屋中的声音，才发狂地挣扎出来。我们就事实上推想，这犬逃出来时，势必在凶案正在进行或刚才完毕的时候。那时迪克看见主人既已被人打死，那凶手也势必没有逃远，它怎么竟宁静着不吠？这是第一个疑点。

"我们对于那碎石路口的血迹，当初很难解释。我也曾假定这血是犬血。但犬既受伤被杀，怎么不见犬尸？凶手行凶以后，既不曾毁灭或移匿人尸，当然不会单独地移匿犬尸。若说它所受的伤很轻微，只略略流些血，并不足以致命，那么，这伤犬又往哪里去了？并且那凶手既然存心害犬，那犬怎么甘心承受，绝不吠叫抵抗？或是假定那犬受伤以后，仍表示它的行猎的本能，追随那凶手的踪迹，但就狗的常态而论，追随时势必沿途吠叫，绝不会默默无声。可是据调查的结果，又确知迪克不曾高声吠过。因为如果迪克一吠，势必要引动远近的邻犬的。这是第二个疑点。

"还有那自行车的轮痕，来踪去迹，分走两路，在情理上也觉反常。此外，那妇人并无真切的悲容，却显着掩藏之态，都使我更加疑惑。不过我一时还不能决定方针。所以我当时的期望，第一步，查得迪克的踪迹，它究竟是活是死、曾否受伤。后来戒明德报告了死犬在真茹车站那边发现的消息，我才得到一种钥匙，种种疑团一个个便都贯通豁露了。"

我得坦白地承认，我觉得这戒警官常有一种炫才卖功的表示，因此不免引起我的厌憎。谁知道全案的方针竟因着他的报告才得确定。那么，他果真是有功可卖了。

霍桑继续道："我既知道那犬死在真茹车站的西面，并不是被掩埋在那里的；又看见了犬身上的枪伤，就特地带了那个发现的乡人顾三虎，亲自到迪克被发现的地点去察勘。那水沟在公路的一旁，路旁留着不少血迹，显见迪克是从公路上滚到水沟里去的。我将我先前的推理参合了一下，前后的真相便完全明了。我料迪克逃出来时，一定在凶谋成遂，凶手刚要离屋的当儿。当它追到碎石路口，便被凶手开了一枪，不过伤在迪克的后脚，只流了些血，故而它仍能继续追随。那凶手是骑了自行车往南翔去的。迪克追在他的后面，他以为它已被枪打死，所以起初没有觉察；直到过了真茹车站，他才觉得那犬还在后面。他为脱身起见，于是又开了一枪，方始将狗打死。这就是我假定的两枪，而且第一枪一定是打在它的后脚上的。"

我点头说："照你的说法，这两枪果真很合情理。不过那犬既然一度受伤，后来又负伤追随，怎么竟始终静默不吠？这不是你自己也认为矛盾的吗？"

霍桑微微一笑，点头说："是，当然是矛盾的。不过矛盾的极端就会产生改进或转变。你怎么不转过来想一想？那逃走的凶手，如果是迪克的主人，它自然不会吠了啊！"

我常常说，侦查疑案真像幻术家的玩弄手法。无论任何哑谜，在揭破前总觉疑难幻复，不可究诘。可是一语道破，却又觉得平淡无奇。这犬的问题的解释，就是一个显然的例证。

霍桑又说道："这一个秘键既已揭发，其余的疑问便都一一地合拍。例如那妇人的可疑状态；猎枪的不见；尸体的移动；拖鞋的大小；屋中并不见曹纪新的照片——你总也看见餐室的壁上有一个镜架给移去的痕迹；和尸首的皮肤黝黑，不像是伏在化验室中深居简出的人物，都可以反证死者不是曹纪新本人。并且死者的致命之伤虽在咽喉，但面部上也中了不少散子，血肉模糊，也很合换尸的条件。因为曹纪新是难得出外的，认识他的人很少。那老仆又是一个近视的人，所以这一出换尸把戏，在他们原以为是千稳万妥的。"

"但那女仆周妈并不是近视。难道伊是被主人贿通的吗？"

霍桑道："即使不曾贿通，那种血肉淋漓的惨状，谁也不会仔细欣赏。故而破露的危险在当时委实很小可能。第二步，我就打算搜集实在的证据，以便使我的推想得到物质上的佐证。我曾见过那屋子后面的小河滩上，有一个石块新近被掘的遗迹。我起初因为没有淹沉犬尸的理由，有些犹豫不决，后来就假定是压沉死者的衣物用的。我们捞取的结果，还得到了那支猎枪。于是全案的症结我便完全明了。

"当时我马上去和戎明德和王根香接洽，叫他们严格监视戚瑶芳的行动。因为纪新既已远飏，我防伊会连夜出走。接着我又赶回上海来找许子安。结果并不像我所期望的那么迅速圆满，那女子也并没有立即脱身的企图。我也不得不忍耐地等待。

"后来戎明德在南翔发现了那辆自行车，凶手的踪迹也有了线索。不过捕凶的步骤，最妥当的还是利用那妇人做一条引线。你现在总可以明白当时的情势。这条侦缉凶手的引线，虽是早已在我们的掌中，却不能任意牵动，只能等候自然的发展。否则打草惊蛇，反而要功亏一篑。

"隔了几天，曹纪新觉得外面风声平稳了，这案子将成悬案，便从苏州化名写信，约他的妻子乘十六日午后的常沪车到上海。这封信被负责监视的王根香从邮局中私行截阅，通知了我，我们就毫不费力地把凶手捉住了。"

我道："还有一点你没有解释。那血迹旁边的一块石上，留着布纹似的痕迹。这究竟是什么东西印上去的呢？"

霍桑忽笑着说道："这一点在说明了以后，你也要说不值半文钱的。我已经说过，那犬第一次中枪，一定是在腿部。那时它必曾在那里蹲踞过一下，舐去那伤口的流血。所以那个布纹痕迹，就是它受伤处的犬毛所印。但在揭破以前，谁又想得出呢？"

我静默了一下，又说："霍桑，还有一个例外的要点你没有解释。这不是我常常问的'凶手是谁'，倒是那被害的人我还不知道是谁。"

霍桑摇头道："唉，包朗，对不起。这个人我还不知道，他们间的关系和这凶谋的动机，我也还不大清楚。我不是卖关子，委实不能答复。请你再耐性些等几天吧。"

一星期后，这案子经过了两度审讯，它的经过情由，也完全披露。吕志一教授因无罪开释，戎警官又曾向翁校长和吕教授谢过罪，我们的责任总算圆满告卸。曹纪新行凶的证据——那衣枪的物证——是从翁老师那里提交法院的。他已不再抵赖，把案情的经过完全供认了。

那被害的人，唤作邱宗英，本是四十七旅的团长。他在三午前和戚瑶芳正式结婚。那时戚瑶芳的父亲戚彦平也在军队中当参谋。所以这婚姻出于父命，原是不自由的。瑶芳和纪新从小同学，感情本来很密切。这事邱宗英本也知道，但他到底利用了彦平的父权，订成了这件不自然的婚姻。当瑶芳和宗英结婚的当儿，纪新因着失恋而往日本去。后来伊的父亲彦平因战事阵亡，邱宗英又离家出征。在这当儿，曹纪新留学回来。瑶芳既感婚姻的不满，曹纪新也旧情重炽。于是这两个人在情不自禁的状态下，便悄悄地离了本乡。

他们到真茹镇去，原是带着秘密性质的。不料那邱宗英回家以后，多方探访，知道了纪新的表兄许子安在真茹镇，终于寻到真茹来。他访问许子安的结果，虽不得要领，但他仍不死心，在真茹镇上往来了好几次，到底查明了他逃妻的下落。当九月四日的早上，曹纪新曾在楼窗口中瞧见宗英在他们的竹篱外面徘徊窥探。他便知道他们的秘密确已被宗英破露，不能不另谋对付的方策。他料想邱宗英若来寻仇，决不敢白昼动手。因此他到了晚上，就特地准备，一面把女仆遣开，一面又将猎犬禁闭。这种种准备，他绝对守着秘密，连他的妻子都不知道。

四日晚上十点十分钟时，邱宗英破窗入屋，纪新完全听得。他就悄悄地下楼，备好猎枪，伏在梯脚。等到宗英在暗中摸索，他就乘机开枪，立刻将宗英打倒。那时瑶芳闻声下楼。他方始说明原委，禁止伊声张。起初他还想移尸灭迹，后来觉得这事繁重难办，又瞧见宗英的高度长发，所伤又在面部，他本人又不常出外，认识他的人不多，便想到换尸的计划。于是他就把衣服换好，移去了壁上的自己的照片。等一切布置妥善，他就将宗英的衣服、鞋帽和行凶的猎枪等捆扎好了，拿到屋子外面去，利用了一块石头，沉在屋后的河中。宗英本是带着手枪去的。纪新就将这枪留在自己的袋中。

　　当纪新行凶和安排的时候，除了他妻子以外，没有第二个人知道，连后面的迪克也还不曾破窗出来。但在沉衣的当儿，因着距离后屋较近，迪克再按耐不住，终于撞破了玻璃。当纪新骑了自行车走上那碎石径时，忽见迪克跟在后面。他既要逃避，又没法制止那犬，就不得不忍痛牺牲爱犬，向迪克开了一枪。后来他过了车站，又向迪克放射第二枪，也完全符合霍桑的所料。这案子如此结束，我对于那戚瑶芳的遭遇，不免觉得可怜。关于这一点，霍桑曾向我表示过一句深堪玩味的说话。

　　他说道："包朗，这问题用不着你过虑。在现在的时代，像这样一个美慧的女子，既有使男子们舍命以争的魔力，那就决不致终于落花无主！别的莫说，我们的翁老师的手下，就有一位关心慰藉伊的人哩。"

第二张照

秘密照片

"某君中学毕业，年二十六岁，仪表挺秀，家有薄产，愿得一年龄在二十岁以内曾受新教育之女子为偶。有意者，请投函一六七号信箱，即当约期面晤，如双方合意，再行正式订婚。"

这一类"征婚"广告，在那时期报纸上差不多天天可以发现。同时也有女子求男的广告，那更是引起一般少男们的注意。这种现象，在这 20 世纪所谓"文明"时代中，原算不得稀罕，更新颖、更时髦的广告自然还有。"某男某女，于某日起实行同居生活"或是"某男某女，于某日起解除同居之约"，这就是那时候的新现象的一斑。要是把时光倒流，退回到五六十年前去，人们读了这样的广告，简直要莫名其妙！

那天我读完了报上的新闻和小品，无聊之极，才翻阅到这一类广告。可是我瞧了一遍，无聊还是无聊，便把报纸丢过一旁，从衣袋中摸出纸烟来烧吸。

我开始默想：婚姻实在是现时代最不容易解决的一个课题。封建式的买卖婚姻、强迫婚姻，甚至指腹订婚一类恶俗，固然绝对要不得，但是一般自命摩登人物的，今天随便结合，明天又随便离异，简直把恋爱看作儿戏，根本无视了婚姻制度。婚姻制度被打破以后，是否还有家庭的存在？如果家庭也不要了，社会的情况又将怎么样？这究竟是人类生活的进化还是退化？并且——

"包朗，你何必太认真？你总知道一条强制性的'堤防'支撑了几千年，一朝受到时代巨潮的撞击，崩溃了，自然要有冲激的横流。你这种杞忧在实际中有什么用？"

说话的是我的老友霍桑。他已经从他惯例的清晨散步回来，安闲地坐在一张靠窗的铺温垫的藤椅上吸烟。我抬起头来瞧他："霍桑，你的话是什么意思？"

"我是对你说的。你还不懂？你不是因着那些同居和离异的广告而引起了一些感喟吗？其实这班人登这些广告原是多事，你因此兴感，更是多事的多事！"

"唉，你又在那里默测我的思想？"

霍桑吐出一口烟："这原是显而易见的，何须测得？我看见过今天报上又有一则同居的启事，你瞧到那里，始而皱眉，继而摇头微叹，末后丢了报纸，又注目凝思。我知道旧礼教的观念，在你的脑海中还存留些剩余的渣滓。因此我料你又在那里空费心思了。"

他向我笑一笑，我也报之以微笑，并不答辩。霍桑所擅长的技能之一，就是这一种心理的透视力。他在鉴貌辨色的依据下，能够看透人们的内心，把握住人们的思想的过程。这一次他小试牛刀，洞烛了我的心理过程，原是不足为奇的。烟雾氤氲中，我们俩都暂时静默。施桂忽推门进来，低声报告：

"霍先生，有客———一位女客。伊单单要见你。"

霍桑立起身来，放了纸烟，走到办公室门外去。

他招呼道："请进来。"

我也从椅子上起立。一个十七八岁身材苗条的女子先向室中瞧了一瞧，略略有些踟蹰，然后才缓步入室。

那时已是十月天气。那女子穿着玄色繁星绸的夹顾袍马甲，露着浅紫斜条缎的衣袖，足上淡灰色的丝袜，深棕色的高跟皮鞋，装束上可称华而不艳。伊的脸形像一粒瓜子，肌肤很白皙，有一双明慧的眼睛，额角上秀发卷曲，两条细长的眉毛恰像柳叶，玉琢似的双颊上留着两个浅涡，可见伊笑时的形态一定更妩媚动人。但这时候伊的神情上不但没有笑的影踪，还带着一种惊怯疑惧的样子。

我立即领会到伊既然要单独地见霍桑，谅必对于我有些顾忌。故而我等伊走进了门口，向伊微微鞠一个躬，打算走出去暂避。霍桑移过一把椅子，向那女子点点头。

他说："小姐，请坐。我想你大概有什么疑难的事见教吧？这一位包朗先生是我的好朋友。我们一向合作，任何秘密的事情他都参与。我们都是能守秘密的，无论什么话，你尽不妨实说。"

这几句话分明有双关的意思，不但向伊解释，又叫我不必出避。那女子弯一弯腰，在对面一只沙发上坐下来。我也回了原座。这一个美而端庄的女子给予我的印象并不坏。我想到了伊遭遇了什么疑难，心中起了同情，很愿意给伊效一些力。不过这意念在脑室中打了一个旋，立刻发生一种回响。

我记得好几年前，记述过一件案子。起初我也对那姓戚的女子有着十二分的同情，不料后来发觉伊是一个堕落的女拆白党。因这一念，我觉得成见最危险，不得不谨慎些。我便凭着旁观的冷眼，悄悄地运用我的观察力。这女客像是一个旧家庭的女子，虽也受过新式教育，却还在父母的拘束之下，并不曾完全解放。

伊发出一种有音乐性的声音，说："霍先生，我相信你的话一定有信用的保证。因为这件事不但关系我的终身，还关系我家庭的名誉，不能不极端保密。"

霍桑应道："你放心。无论什么事，我们绝不会张扬出去。请恕我冒昧，你的事是不是关系婚姻问题？"

女子的粉颊上忽然泛出一丝绛色。伊的头也不由得低垂下去，伊分明有满腔奇秘的事迹，一时有些含羞，竟没有勇气宣述出来。我的观察大概没有错。因为一个所谓"解放"的女子谈到了婚姻问题，绝不会有这样羞怯的表示。

伊略停一停，才抬头表示，自陈伊的姓名和家世。我为保全守秘的诺言起见，现在只能加以更变。这一点不能不请求读者们的谅解。

伊叫顾英芬。伊的父亲顾志白，先前曾入过仕途。当这案子发生的时候，志白已经退休多年。他们本来是浙江余姚人，三年前才迁居上海，住在静安路。伊有一个哥哥至今还在浙江司法界里。

伊悲抑地说："霍先生，现在我得先说起先姐英芳的秘史。唉，这回事想起了还觉心酸！在四年以前，先姐结识了一个本乡的无赖，名叫王智生。伊是在家延师读书的，没有社交的经验。伊在先姑母家里认识了这个无赖，受了他的诱惑，一时糊涂，竟跟了他私奔出外。因着这一件事，我们家庭中就发生了不幸的惨剧。我们四处寻访，找不到他们的踪迹。我的母亲忧郁过度，两个月后便气死了。父亲和哥哥也感到十二分羞愤。因着乡里间的闲言闲语，再不能够安居，就迁到这里来。"

伊叹一口气，语声中满含着愤慨。霍桑敛神静听，容色很庄肃，我也专心地倾听，料想以后还有动人的下文。顾英芬用一块白巾擦擦嘴，继续说下去：

"一年以后，我在报纸上瞧见一个女子在汉口投江而死的新闻，还附着一张照片。伊的状貌和高度恰像我的姐姐英芳。我料想姐姐一定是受了王智生的抛弃，无颜回家，才轻生自杀。我得了这个消息，又不敢告诉我的父亲。因为他老人家曾宣誓不愿再看见我的姐姐，深恐因此触动他的悲愤。所以我姐姐的尸骨至今还不知着落。"

又是一串叹息声。暗影溜上了伊的粉颊，伊的眼圈也有些红。霍桑和我仍默不插口。

伊又说："这件事经过了八年，我们也渐渐地淡忘了。上月里我……我和金学明订婚了。这消息在报纸上传出去后，那不幸的魔星忽而照临到我的头上。唉，霍先生，那可杀的王智生又重新出现了！"

顾英芬的面容顿时惨白，水汪汪的眼珠也露出恐怖之色，仿佛这时候伊的眼前陡然涌现出一个可怖的魔怪。

霍桑动容地问道："这个人可曾来见过你？"

顾英芬点头道："是。一星期前，我从学校回家，忽然在路上碰见他。我还以为他没有看见我，急急避开去。不料他已经瞧见我，跟我到静安路家里。第二天，他候在我家门外，看见我走出来，便上前来向我说话。他说他已经从报纸上看见了我的订婚消息，又拿出一张照片来给我瞧。那就是我姐姐私奔以后和他一块儿在上海拍的。我问他我姐姐现在哪里？他说伊已经患病死了。我又问葬在何处？他却含糊其词。我才知道我先前所料想的没有错。但我实在怕他，不敢和他多谈，就匆匆地重新回家去。

"我把这回事反复地考虑了一会儿，最终也没敢声张出来。

论王智生的罪恶，害死了我的姐姐，应得使他受法律的制裁。但是我们自从迁居以后，这件事已经隐去了。现在若使根据法律起诉，不免攸关我父亲和哥哥的颜面，反而使他们难堪。家父年纪已大，一定受不住这个刺激。因此，我只能秘而不说。不料昨天下午，我接到这一封信，才知他弄死了我的姐姐不算，还要陷害我！"

伊的声音有些颤，呼吸也急促了些。我相信这状态不是一个少女伪装得出的。我的同情心更胜了。

霍桑问道："他可是有挟索信？"

顾英芬一边从伊手中提着的绣金袋中摸出那封信来，一边摇摇头："不是。我也解释不出。霍先生，你瞧吧。"

伊将那信笺递给霍桑。我忙凑近身去。那是一张白色的西纸，用钢笔写的，字迹很遒劲，像是有过书法素养的人的手迹。内容只寥寥两句，下面也没有署名。

那信道：

　　明天上午十时，请到半泓园翦翠亭来，当有好消息奉告。这事关系你的终身，切勿疑迟自误。

　　　　　　　　　　　　　　　　　　　　十月十六日

霍桑把那信反复瞧了几遍，凝视着信笺出神。

顾英芬道："霍先生，这信是我家蔡妈收到的，有个专差送来，虽没有署名，但是我确信是这个恶鬼写的。因为除他以外，没有人会写这样的信给我。霍先生，你想他有什么意思？"

霍桑似乎没有听得，凝神的双目依旧被那张信纸吸住着。

伊继续道："据我想，那天他特地给我瞧那张照片，一定是有用意的。照片是在三四年前拍的。我和姐姐的面貌本来很相像，故而照片上的姐姐，恰像现在的我。他也许想利用这张照片陷害我。霍先生，你说是不是？"

霍桑回复了神志似的答道："是的。你既然说没有别的人和你作难，这封信大概是从他那里来的。他写信的作用，我虽还看不透，但当然不怀好意。"

英芬应道："是啊。霍先生，你想我应得怎样对付这一封信？"

霍桑低沉了头，似在考虑某种对策，一时不回答。我很想表示几句，但觉得时机还没有成熟，近乎冒昧，只得仍静默着。

顾英芬又说："霍先生，昨夜里我筹划了一夜，觉得去既不好；不理他，又怕他把秘史宣布出来，破坏我的婚约。霍先生，我的未婚夫金学明在教育界上办事，当然是最看重名誉的。我们的婚约虽也一半出于自由，但这种羞辱的秘史一传进他的耳朵，这婚约势必会立即破裂。这还不算，我姐姐的事已经气死了我母亲，又给家父一个严重的打击。要是我也闹出了这丢脸的事，我父亲和哥哥将遭受怎样的打击，更不能想象！唉！霍先生，这件事真使我左右为难。我才想起你是一个救难扶困的侠客，总能够指示我一条两全的途径——"

霍桑突然仰起头来："是的，顾小姐，这件事的确左右两难。他的手中既然有挟持的利器，你又怕他宣露，我们当然不能用强硬手段。如果置之不理，那也不是办法。"

"霍先生，那么怎么办？"伊焦虑的情绪又从伊的声音、眉宇间流露出来。

霍桑仍宁静地说："顾小姐，别慌，我想总有办法。我问你。这个王智生是个什么样人？他的家世和历史你可也知道一些？"

英芬沉吟了一下，才说："他是先姑母的旧邻居。他的父亲叫伯仁，是个秀才，名义上算是读书人，实际是个颠倒黑白包揽讼事的恶讼师，余姚城里谁见了他都头痛。王智生靠着他的父亲的势，算是个少爷，其实是个无赖流氓。他的父亲死后，他到上海来读书，读的是法律，听说预备做律师。我姐姐碰见他时，他才刚毕业回乡。他也像他的父亲一样，有一张厉害的嘴，说得天花乱坠。我姐姐就进了他的圈套，结果送了性命！"伊的语声中带些呜咽。

霍桑喃喃地说："唔，是个知识分子，应付上的确不能不小心些。"他顿一顿，又说："顾小姐，我想现在你不妨答应他的约，去听听他的口气再说。"

顾英芬迟疑道："我一个人去吗？我听说半泓园很冷僻，况且又在上午，游园的人更少。我很怕——"

霍桑接嘴道："你不用怕。他约的时间既然在白昼，我料想他不致有什么意外的手段。"

顾英芬仍作犹豫状道："我总有些怕他。"

我看见了伊的瑟缩畏惧的状态，认为时机已相当成熟，便自告奋勇。

我插口道："既然如此，我不妨陪你去。"

伊立即把伊的美目瞧向我，有酒窝的颊上泛出些红霞，显一种似感似羞的神气，又不即答应。

我又说："我当然是悄悄地陪你去的，表面上你还是一个人去。万一他有什么意外举动，你尽管放心，绝不会让你吃亏。"

霍桑也附和道："是，这计划很好。我也很希望能看看这家伙的面目。"

顾英芬宽慰了些，答道："好，那么现在已经敲过九点。我们要不要就走？"

霍桑摇头道："不，你们不能一块儿走。你先回去，不必依照约时，不妨到得略略迟一些。包先生可比你先去，免得露什么痕迹。"

顾英芬赞成了，向霍桑谢了一声，起身别去。伊临行时向我点一点头，好像叫我不要失约。我鞠了一个躬，也算是会意应允的表示。

翡翠亭后

参与这种莫名其妙的约会，我已有过好几次经验。这一次的使命是很别致的，不知道是吉是凶。谨防起见，我带了一支手枪，以备万一的变端。

霍桑向我说："你得换一身装束，早一步去，找一个妥当的藏身所在，别露出破绽才好。"

我应道："好。你也打算走一趟？"

霍桑道："是，我也想瞧瞧这个王智生究竟是个什么样人物。不过我不能和你一块儿去。你赶紧些先走吧。"

五分钟后，我已装成了一个花园中园丁的模样。我出门的时候，看见霍桑正要走进化验室去。他向我点了点头，似赞我化装得不错。

我的车子到达半泓园园门相近，便即停止。我取出表来一瞧，还只九点三十五分。园门口停着一辆车子，王智生已比我先到了吗？

我买票进了园门，便沿着幽曲的小径慢慢地行进。园中静悄悄的，没有游客。除了枝头的鸟声和树根下的落叶偶然因风作声以外，绝不闻市尘的喧嚣之声。微风过处，挟着一阵阵的菊花香味。这种清晨时的园林风味委实是那些有晏起习惯的上海市民所梦想不到的。我穿过了两条花树夹植的曲径，绕过一座小小的假山，便走向翡翠亭去。我记得那亭子就在假山的对面，绕到了假山那边，便瞧见那只亭子。亭子中还空虚无人。我暗忖王智生大概还没有来，刚才园门外的车子想必是别的游客。我未免神经过敏了。

我在亭子附近站住了，想找一个藏身所在。亭子对面的假山上，虽也种满了大理菊和秋葵，葳蕤阴翳，尽可以藏身，但相距较远，万一有什么意外，兜绕下来援救，难免来不及。假山的东侧里有一丛杨柳，丝丝的垂条也还茂密，但是距离上同样不便。我又看见亭子背后有几块耸立的石笋，另外有一排山樊，高可及肩。这是个理想的藏身所在，并且那里和亭子的距离只有三四码光景，亭中人的谈话也许还听得清楚。主意定了，我便绕到那石笋的后面，四望没有人，便突地将身子蹲下来。

我的表上显示差一刻十点钟。我露出一只眼睛，从石笋背后瞧到亭中，可说是一目了然。我的心坎中感觉到一种不可名状的刺激。这种刺激的兴味，我经历得已多，可是不能用言语说得出。一个垂钓的人，在手执竿纶的当儿，忽然见有一条大鱼正缓缓地向那浮子游过来，那时候也许能感到这同样的兴味。

约莫经过了三四分钟，我忽听得皮鞋声音，从假山背后的碎石径上橐橐地走近来。我心房的跳动突地增加了速度。一刹那间，我的半只眼球捕捉到一个影像——一个西装少年从假山角上兜了出来，这个人可就是王智生？他走到了亭子面前，旋转去向背后望一望，又摸出一只金表来瞧瞧，随即跨上亭子来。我相信我的料想已经中的。

他的年纪约莫二十六七，身体很结实，称得上魁梧雄伟，面色略带苍黑，鼻子粗大，双目炯炯有光。他穿一身簇新的灰色薄呢西装，足蹬一双黑漆皮的光头皮鞋，一条金表链扣在他的背心袋上，两个金镑做的表坠，走路时叮叮当当地作响。他的装束可算很漂亮。这时有一股香气随风吹过来，显见他身上还洒着香水。他的脸上满现着高兴的神气，一手执着一顶时式的灰色呢帽，当作扇子般地挥着。他的眼光只向假山的左右瞟来瞟去。

印象加强我的信念，我假定这少年定是那王智生无疑。我在他的左右飘动的眼光下不能不特别谨慎些。

他在亭子中的一个瓷质花鼓上坐下，似乎准备耐着性子等约会的人来。可是他坐下去不到五分钟，又立起身来瞧他的表。他的唇吻在张动，不知道嘀咕些什么。大概是表示他心中的不耐吧？其实这时候还差五分十点钟，他未免太心急些了。他在亭子中忽起忽坐地挨过了七八分钟，似乎再耐不住了。他走下亭子，从假山的左边走过去，不一会儿便兜到了假山的后面。我瞧不见他了，不禁暗暗地着急。他等得不耐，先回去了？这样，顾英芬米时，势必要扑空，连我也虚费工夫！

咯咯的高跟皮鞋声音又从假山的右边送过来。唔，顾英芬来了。伊的打扮仍和先前一样，脸上却有些仓皇。伊每走一步，便不住地向左右回顾；等到走近亭子，看见亭中空空，就站住了踌躇。接着伊勉强跨上亭子的阶石，向伊腕上的手表瞧一瞧，又停止了脚步。我见伊旋转了身子，低了头在思索什么。伊似乎觉得约时已过，不见王智生，打算要退回去。我再度着急。那男子确已来过，现在却不知已往哪里去，但是我不便和顾英芬交谈。事情有些僵！

还好，叮当的微声和皮鞋摩擦石径的声音又触动我的耳朵。先前那个西装少年又从假山的右边穿过来了。他一看见亭子面前的顾英芬正在那里迟疑不决，便放开了脚步走过来。顾英芬一抬头，也看见了他，就站住在亭子阶上不动。那少年奔到亭前，伸出了右手，仿佛要和伊交握。女的不理他，却把身子一侧，走进亭子去。少年也笑嘻嘻地跟了进去。

他气息咻咻地问道："你就是顾英芬小姐？唔，真漂亮！"

声音相当宏大，我听得很清晰。他说时，又把他的粗大的手掌伸了出来，似乎想单方面地握捉顾英芬的纤手。顾英芬却似乎又羞又惧，急急把两只手都缩到背后去。

伊沉着脸答道："你是谁？请尊重些！"

答话太突兀，我不禁有些诧异。难道我的假定是错的，这男子不是王智生？否则伊怎么会有这问句？我仍蹲伏地躲在石笋后面，默瞧这局势的开展。那女子严冷不可侵犯的状态，使这男子缩住了手，但他仍嬉皮笑脸地答话。

他道："我就是杨春波啊。你虽不曾见过我的面，但我相信我的姓名一定早已留在你的心上了！"

情势有变化。这个人叫杨春波，当真不是王智生。英芬不认识他，他倒认识伊。这是怎么一回事？我简直摸不着头脑。

顾英芬厉声答道："我不认识你！"

伊的眼光向亭子的四周转一转，分明是想讨救兵。我怎么办？这件事显然已另有曲折，我此刻能出面干涉吗？当然不。我只能忍耐一下，必须听出一些眉目，才能着手。那自称杨春波的弄着他的链子上的两个金镑，继续说话。

他说："顾小姐，你还说笑话？这里并没有闲人啊。你何必这样子做作？"

英芬的脸上一红一白，显得十二分难堪。伊的手指搓卷着那件玄色马甲的边。伊仍利用严肃的容色做防御工事，深恐对方有某种意外袭击。

伊抗声道："别胡说！谁和你说笑话？你究竟是谁？到这里来有什么意思？"

杨春波仍笑嘻嘻地答道："什么意思？奇怪！你怎么问我？你自己到这里来有什么意思呀？"

顾英芬被这一句反问问住了，咬紧了樱唇，回答不出。局势很尴尬，还是听不出眉目，我能挺身而出吗？时机上似乎还嫌太早。这究竟是一出什么把戏？

略停一停，英芬才说道："你……你到这里来，可是……可是代表……代表……"伊的话中断了，显然很难于措辞。

那男的摇摇手，说："顾小姐，算了，不必再假痴假呆了！你既然约我到这里来会面，何必再给我猜这个哑谜？"

"我几时约你？我不认识你！"

"是的，可是现在你总认识我了啊！我叫杨春波。哈哈哈！"他走近一步，又伸出手来，"来，顾小姐，请坐。我们细细地谈。"

那男子的手伸展到英芬的胸口，似乎要拉伊同坐，又似乎有别的野心。英芬有些吓到，忙举起右手来阻格，又急急把身子一闪，退一步。伊绕过了亭子中央的一只石几，便从亭子的另一面的出口里走下去。

"喂，顾小姐，怎么？你拿我寻开心？你约我来了，没有一句话就走，算什么？"他的语声又诡异又发急。

伊头也不回地答道："我不曾约你。你弄错哩！"

伊的步子很迅速，转瞬间已经走出亭子。那男子还不肯放松，追出了亭子，要想阻拦。时机大概成熟了吧？我便立直身子。可是因着蹲伏得久了，我的两条腿竟酸木不灵，等到我勉强赶上去时，杨春波已追到了顾英芬的后面，在伸手拉伊的膀子，嘴里仍在叨叨地说着。我蹿上一步，伸手在他的背上拍一下。

我说："朋友，知趣些！人家不认识你，你怎么这样子不懂规矩？"

那人分明不提防有第三人参加，愣了一愣，回过头来。他站住了向我怒视，看见我似乎像一个工人模样，他的大蒜似的鼻子里哼一声，脸上立即露出一种轻视而愤怒的神气：

"什么东西！你管我？"

他伸出右手来掴我的面颊。我早有准备，把头一偏，用左手乘势在他的右手腕上击一拳。他发火了，又扬起左手，又想出第二拳。我的身子一蹲，我的右拳又击中他的左臂，不过并不太重。我又把身体一闪，早已退到了亭子旁边。这时候顾英芬已经走远了。这个人的体格伟大，气力似乎也不小，我虽取巧地打了他两下，可是也犯不着和他狠斗。他还不甘休，叮叮当当地追过来。我不等他赶近，忙避到亭子背后。

我说："喂，朋友，想一想，你值得和我认真吗？"

"猪猡，你敢碰我！"

他显然不服，气咻咻地赶过来。我吃了一句骂，仍镇静地不动肝火，看见他赶近来，就绕着亭子跟他做走马灯。他追不着我，又看见我好整以暇地带着笑容，更怒火直冒地咒骂着。

救星来了。一个穿灰色绸长衫的男人从假山背后抢步走过来，腋下挟着一种黑色的东西——是霍桑，不过他已把常穿的西装换去了。

他笑着说："喂，你们玩什么？捉迷藏？还是鹞鹰抓小鸡？嘿嘿嘿！"

他走到杨春波的面前，做好做歹地拦住了他，又向他说了几句排解的话。杨春波似乎有些不好意思，站住了，不便再那样蛮横。霍桑装作不认识我，暗暗地向我使一个眼色。我立即会意，趁势一溜烟兜过假山，走出了园门。园门外不见顾英芬的影踪。我也就跳上一辆车子回寓所去了。

意外主顾

我回到寓所，洗了一个澡，换好衣服，霍桑还没有回来。我坐下来烧着一支纸烟，开始回想刚才的经历。太奇怪。那杨春波究竟是什么人？怎么他知道顾英芬的姓名，顾英芬却不认识他？我们起先料想王智生有什么索要，故而有这个秘密约会。现在王智生不露面，却叫这姓杨的出场，他可就是王智生的代表？假使如此，他见面时何以只是嬉皮笑脸地企图调情，没有一句正经话？莫非那匿名信不是王智生写的，内幕中另有曲折？这个囫囵的疑团，我没法打破，原想等霍桑回来后剖解。直到午膳相近，他方才回来。他的神色变异，显着一种紧张状态，使我不便轻易动问。

他更衣完毕，先向我说："包朗，这件事比我们所料想的更严重、更复杂得多。我们的对方是一个机智多端的好手，我们万万不能轻视。今天幸亏我早有准备，带了这东西去，否则我们一定完全失败了！"他指一指书桌上的那只黑亮的照相器，开始摸出烟盒来。

我问道："你刚才带了这照相机到半泓园去的？"

他点点头，擦着火柴烧烟。

我又问道："你带这东西去有什么用？"

他答道："我本是另有目的的，不料事机有了变化，成全了别的利用。"

我听不懂他的话，又问："这究竟是怎么一回事？那个自称杨春波的冒失鬼又是什么人？"

霍桑吐一口烟："这个人我已经查明了，他住在城内蓬莱路九十七号。我刚才悄悄地跟他回去。他家里有几个钱，自己还在大学里读书。过一天我准备去见见他。"

我道："这个人顾英芬不认识。我听他们俩的谈话，彼此不接头，竟莫名其妙。"

我把刚才眼见的情形和所听得的回答向霍桑说了一遍。霍桑低垂着头倾听，一边定了目光，吐吸他的白金龙烟。他等我说完，仍没有表示，似乎已进入深思状态。

一会儿，我又问道："这个杨春波可就是你说的机智多端的对手？"

霍桑缓缓地摇着头："不是。我看他只是剧中的配角，主角一定另有其人。"

我道："那么主角是王智生？"

霍桑一边立起身来，一边答道："是，当然是他。我料不久他就会显出手段给我们瞧。包朗，现在你耐心些。我也应得有些准备。"他拿着那只照相机，向化验室走去。

我觉得我陷进了迷离惝恍的圈套。内幕中的真相怎么样？霍桑既然说王智生是一个多机智的主角，这家伙究竟有怎样的计划，竟值得霍桑这样子注意？他说他幸亏带了照相机去，他摄得的是什么东西？他的不解释，好像不是单纯的老脾气，却像他自己也隔着一重疑障。我这疑团足足挨过了五个小时，方才有一线揭露的希望。

傍晚时分，这案子果真有些发展。顾英芬又急忙忙地赶来。伊换了一件浅苹果绿的顾袍，神气比早晨时觉得惊怖可怜。

伊坐下后，说："刚才的事，幸亏包先生给我解救。我实在不认识这个人，也不知道他有什么目的。现在却弄假成真了。霍先生，包先生，你们瞧。这封信我在半个钟头前才接到，有个工人模样的人送来的。"伊不但声音颤动，连那取信的手也瑟瑟地不宁。

信是铅笔所写，字迹有些近乎先前的钢笔字，不过比较潦草些。

那信道：

你若顾惜你的名誉和希望圆满你的婚姻，今晚九点钟请到北山西路，德安里三弄十九号来一谈。

生白 十七日

这信表面上虽没有一句恐吓的词句，但细味它的语气，却像是一种严厉而不可违拗的命令，比恫吓更觉厉害。

霍桑道："这信是王智生写的了。"他随手将信放在书桌上。

顾英芬答道："他下面既有一个'生'字的具名，多半是他。但第一封信我还不知道有什么用意，这一封信更想不出他捣什么鬼。"

霍桑沉吟了一下，说："我看他现在一定已借着什么把柄，要正式向你挟索了！"

"你想他要向我挟索什么？金钱？还是……"伊的眼光一沉，顿住了不说。

霍桑应道："这还难说。我想我们不能不去看看他，见了他的面，就有分晓。"他顿一顿："不过他所挟持的东西确很厉害，你不能轻视。"

"霍先生，那东西是什么？不就是我姐姐英芳的那张照片吗？"

"是。我看不只那张照片，还有更厉害的东西！"

"喔？还有什么？"

"是你本身的照片！"

顾英芬作疑惑状道："我没有照片落在他的手里啊。"

霍桑郑重地说："有的，你不知道。那不单是你个人的照片，照片中还有一个男子正在面对面地和你谈话。你面向着假山，那男的伸着手要抚摸你的样子，照片的背景又是宜于幽会的园亭！"

顾英芬苍白了脸，骇呼道："什么？难道刚才我……我……"伊顿住了，嘴唇在颤动。

唔，有些眉目了，我开始明了个中的情由。

霍桑解释道："正是，正是。刚才你在翡翠亭中和杨春波会面的时候，那种景状已被摄成一张照片。这照片此刻已经落在王智生的手中！"

顾英芬从沙发椅上跳起来，伊的脸色顿时变成白纸一般。我也感到意外的惊异。

伊作惊惶声道："霍先生，当真如此？"

霍桑道："自然真的。不过你不必如此惊慌，坐下来，听

我说。"

英芬强制地坐下来，星眼睁大了，眼眶里有些水汪汪。

伊问道："霍先生，这照片谁拍的？怎么会到这恶鬼的手里去？"

霍桑镇静地解释："照片是王智生自己摄的。他早就伏在亭子对面的假山上，等到你和那男子接谈的时候，他选取了一个紧要的画面，就悄悄地摄了一张照。现在他既然胆敢正式命令你去接洽，显然就把这照片做挟持的利器。"

顾英芬眼圈一红，要哭出来的样子。接着伊把白巾按住了口，抽咽地暗泣起来。这个王智生真毒辣，竟用这种手段玩弄一个弱女，使我感到异常的不平。

伊呜咽地说："霍先生，这件事怎么了？这恶鬼的手段太刻毒了！我怎么能抵抗？我只有和他去拼命！"

拼命！是，我也相当同意。要是凭着我们的智力，除了拼命，没有其他任何有效的对策，我也情愿代替这可怜的女子跟那无赖拼一拼！

霍桑作安慰声道："顾小姐，你不用悲伤。拼命不是好方法，也太不值得。这样一来，弄假成真，还是逃不出他的罗网，你倒反而难于洗刷。并且你家庭的秘史也难已保守。不行，这委实是下策。"

伊仰面道："那么上策是什么？我实在想不出什么方法。他若使向我要钱，我既然不敢告诉家父，势必也拿不出。要是他还有别的恶念——"

霍桑忽然立起来，举起一只手："顾小姐，别慌，我相信不会没有法子对付他！"

伊的精神提振些，用伊手中的白巾在眼眶上揉了一揉，睁视着霍桑，在等他发表他的办法。霍桑紧蹙着双眉，背负着手在室中踱来踱去。我也屏息地看霍桑的来往。

一会儿，霍桑忽自言自语地说："我想我们有方法可以取回你的照片。顾小姐，你不必担忧。"

"唉！好极！霍先生，你用什么法子去拿回来？"

"我先去看看他。"

"不会决裂吗？"

"不会，你放心。我们会随机应变。"

那女子的眼睛中，顿然露出一种感激的神气，仿佛破涕为笑。我也感到十二分兴奋。

伊又颤声说："霍先生，要是你真能拿回那照片，我一辈子不会忘记你！"

霍桑站定了，说："别客气。我自信我有几分把握。现在你把这信留下，尽管安心回去。"

伊问道："我不必去看他？"

"不必。这件事完全让我们来办。"

"要是他有什么要求呢？"

"我们也可以代替你应付。你回去吧。一有结果，我会通知你。"

顾英芬先前的那副悲啼的面容已经消灭，但似乎仍半信半疑。

伊立起来作别的时候，又向霍桑叮咛："霍先生，他是一个比蛇还毒的人。你和他周旋，得小心些才好。"

霍桑一边送伊出门，一边说："我知道。现在把柄在他的手中，我们当然要投鼠忌器。无论如何，我们只能智取，不能力敌。你放心。"

顾英芬向我们俩行了一个九十度的鞠躬礼后，带着一颗半喜半惧的心，姗姗地走出去。霍桑送出门口回来时，伸伸腰，抽出一支纸烟，烧着了坐到藤椅上去。

我也坐下来，说："这女子怪可怜！霍桑，你打算怎么样进行？"

霍桑答道："我们吃过晚饭，先直接去见他一见，听听他的条件再说。"

"假使他索要一注巨价，才允许你赎回那张照片。你也当真准备代付吗？"

"那是最后一着失败的棋子。若非万不得已，我们当然也不愿意随便破钞。"他瞧瞧壁炉上的瓷钟，"时候已不早。现在我们赶紧吃夜饭。少停你可以和我一块儿去。"

进餐时我因着未来的任务胜败难料，心头悬悬不定，我的胃纳竟因而减少。霍桑却并未改变他的常态。

我乘间问道："霍桑，你怎么知道王智生曾拍过那张照片？"

霍桑道："我亲眼看见的。他躲在假山背后的一株盘槐下面。他的镜头恰向着亭子。"

"你自己在哪里？"

"我在几棵岁汉松的底下，在他的侧边。"

"他没有看见你？"

霍桑摇摇头，自顾自吃饭。

我又问："你刚才说你曾利用过你的照相机。怎么样利用？"

霍桑停下筷，用手在衣袋外面拍一拍，答道："利用的成绩在这里。回头你就会瞧见。"

"你怎么会想到带照相机去？"

"我起初料想王智生和这女子见面时，也许会表演某种要挟的姿态，故而我带着照相机去，打算摄一张做凭证。可是我不曾料到他的心计更超出我的想象。他竟另叫一个配角登场。"

"照你说，他这一回的把戏，目的在取得一种假造的把柄。但他起先不是已经有一张顾英芳的照片在手里吗？论势那一张已尽够利用，他何必多此一举？"

"这是容易明了的。那张旧照中的男子是他自己的面目。若使要挟不遂，当真把照片宣露出来，他自己未免也要连累进去。此刻他摄的第二张照，不是更有用吗？"

解释很合理。因此更显得这王智生真是一个诡计多端的阴毒人物。霍桑对付这样一个人物，的确不能不小心些。

我又问："你想这个杨春波是他的同党？"

"唔，我想是的。好在我已经查明他的地点，若要从这一条路进行，也不难办。"

"智者千虑，必有一失。"这一句成语在我的经历中已经体验了好几次。因为人世间的事，参伍错综的太多，人的计虑虽周密，仍往往有出人意料的变端。当我们晚餐罢后，吸了一会儿烟，便着手装束，准备往北山西路去进行吉凶难卜的谈判。施桂忽而传进一张名片，竟就是杨春波！这个人会自己上门，那不但出我的意料，连霍桑也惊异非常。他窥破了我们的真相，特地来交涉或者报复吗？

他穿的仍是早晨那身簇新的灰色薄呢的衣裳，背心袋口上的两个金镑还是在叮当作响。他的脸上显着一副怒容，但他向我们点头招呼的时候，我瞧他的神气，分明不认识我们。原来我们俩的装束都已换过，况且又在灯光之下，他若不知道之前的把戏，当然辨别不出。霍桑在照例的延坐招呼以后，便很镇静地向他发问。

霍桑说："杨先生，有什么见教？"

杨春波不大有礼貌地答道："我要你办一件事！"

"唔？"

"我受了人家的愚弄，气不过，可是又摸不着头脑，没法子报复。请你给我解释一下。我情愿重重酬谢！"

"气不过。"我相信这句是真话，因为他的大鼻孔在翕张，他的眼睛里也像有火。霍桑也现出注意状来。

"喔，你受了人家的愚弄？谁愚弄你？"

"我不知道。这就是我要请你指点的。"

来客从袋中摸出一封信和一张从报纸上剪下来的纸条。他先把纸条展开来，指给我们瞧。

他道："这是第一次把戏，登在四天前的《新闻日报》上。"

我瞧那纸上印着的也是一节征婚广告。不过是女子征求男子。

那广告道：

今有某女士，曾受新式教育，品貌优秀，亲族凋亡，孤立无依，愿得一年在三十以内曾受相当教育之男子为偶。应征者请开明履历，附一照片，投寄二五六信箱。合则订期面会，不合恕不做复。

霍桑问道："这广告你曾去应征过？"

杨春波弄着他的表坠，似乎有些不好意思，勉强点点头："是的。我写信去后，得到这一封回信。"他又从信封中将信笺抽出来。

信上的钢笔迹很细，像是女子写的。内容说对于杨春波的信认为合意，约定十七日上午十点钟，在半泓园翡翠亭中面会。下面的署名是顾英芬。

疑幕迸出了一条裂缝，我开始窥见些幕后的情景。这个配角的登场并不是出于自由意志，而是像傀儡般地被牵出来的。先前我和霍桑的料想就犯了"一失"的病。我才明白这把戏完全是王智生一个人在幕后牵线。他先登广告招引了杨春波，又冒着顾英芬名义，写信约他会面；接着他又写了一封匿名信给顾英芬，使这一男一女同时在半泓园的翡翠亭中会面，以便成全他的拍照阴谋。他的心计委实狡猾得透顶！

霍桑皱着眉峰，斜目向我瞧一瞧。我也暗暗地点点头，立即领会到他这一瞧中含着抱憾的暗示，仿佛说："想不到这家伙并非配角，只是一个傀儡！"

杨春波又解释道："我接了这封信之后，觉得很欢喜，今天早晨就依约到半泓园去，果然看见那姓顾的女子——唔，长得真漂亮！可是见面以后，伊没有一句话，给我一个不睬不理，分明是开我的玩笑。最后，还另外弄出一个人来，打了我两拳。倒霉！你想我怎么受得住？我回到家里，仔细一想，一定有什么人暗地里作弄我。霍先生，你说是不是？"

霍桑淡淡地说："唔，很可能。你现在打算怎么样？"

那少年把右手握了拳，在左掌中击一下："我非找到那猪猡不可！我已经到邮局里去过，查问那二五六号信箱是谁定的。可恶！那邮局里的家伙不肯告诉我。我没有法子查究这猪猡，又不愿意就此甘休。霍先生，你是个大名鼎鼎的侦探，总有个办法。对不对？"

"你要我做什么？"

"只要你查明这戏弄我的人是谁，以后的事，让我自己来办。"

霍桑又向我瞧一瞧，嘴角好像牵一牵，似乎又在暗示我事情太凑巧，这个人也会找上门来。他沉吟了一下，又问那来客。

他说："据你自己想，这个作弄你的人，你是否有一些头绪？"

杨春波摇头道："没有，我实在想不出。"

"譬如你的朋友中间有没有恨你或跟你过不去的人？"

"没有，没有。我相信我不是半吊子，交朋友从来不肯让人家吃亏，喝茶喝酒，总不让人家掏腰包。哪里会有人这样子背后放刀？"

"那么跟你闹玩呢？"

"不会！玩也有个玩法。这简直要我好看！还算玩？"

霍桑掏出表来瞧了一瞧，点点头："好，我明白了。你把这广告和信留着，再给我一个地址。我想法子给你侦查这个作弄你的人的下落，查明后会通知你。现在我有别的事情，不能耽搁了。"

谈 判

霍桑和我往北山西路去时，身上都带着手枪。我在车子上寻思：这个王智生委实是诈变百出。但瞧他想得出这种阴险的计划，又能够移花接木地利用这个杨春波做他的傀儡，足见他真有个恶魔的脑子。据顾英芬说，这人读过法律，受过高等教育，是个知识分子。法国罪犯学家拉卡萨涅（Lacassagne）曾说过："有知识而缺乏道德的人犯罪时更可怕。"比利时的凯特尔（Quetelet）也说，训育和教育是两件事。单纯的识字或有知识与否，不足以作为容易犯罪与否的标准，而只能作为罪犯能力高下的标准。换句话说，单单受过知识教育的人，并不比无知识的人有减少犯罪的可能；不但如此，知识分子犯罪时的能力和技巧，反比无知者更严重可怕。胡展堂先生也说过一句痛心话："我国的教育幸而还没有普及！"这当然是指单纯的知识教育说的。从我们的经验上印证，这见解的确值得重视。我们曾和一位大学教授周旋过，不但使我们的老友汪探长手足无措，连霍桑也感到头痛棘手，几乎应付不了。现在横在我们前面的又是一个缺德的知识分子，我们能否敌得住他，的确还是一个疑问。

北山西路德安里都是新近翻造的一上一下的石库门。房屋狭窄而廉价，住户也很嘈杂，每一个石库门中差不多都有三四家住户。我们找到了第三弄十九号，霍桑便上前叩门。里面答应了一声，有一个男子开门出来。

那人三十岁的光景，身材瘦而颀长，比霍桑只短一两寸，身上穿一套黑哔叽的短夹袄裤，黑缎鞋白袜，打扮得倒还朴素。灯光中照见他的面貌和寻常人有不少异点。他有一个狭削而多水平皱的额角，头发生得很低。两条浓黑而弯曲的眉毛压在一双锐利流转的眼睛上。鼻梁间有些凹曲，鼻尖却像鹰爪般地有个钩。他的嘴唇是薄薄的。在一瞥之间，他已给我一个"绝非善良人物"的印象。

霍桑婉声问道："王智生先生可住在这里？"

那人微微鞠了一个躬，答道："在下就是。请问有什么见教？"

霍桑低声道："我们代表一位女士来和你商量一件事。"

那自称是王智生的向我们略略端详，立即应道："很好。

请进来。"他站开些让我们进去，顺手把门关上，回身引导。

一个狭小而陈设简陋的客堂中，有一个女人和三个男子一块儿在电灯下打牌，另有一个穿黑色短衣的男子坐在桌子一角看赌，样子都不像是上流人。我们穿过客堂的时候，他们仍自顾自地打牌，绝不理会，只有那旁观的向我们瞥了一瞥。我们跟着王智生走上楼梯，进入一间亭子楼中，这就是他的寓处。我才知道先前他立即开门，分明他是在楼下等候的。

亭子间的中央挂着一盏三十二支光的电灯，光力充满了全室。一边安排着一只小榻，榻架上挂一件暗蓝色哔叽夹袍。榻对面有一张小方桌和两只椅子，另有一只堆满了书的小书架。壁上也有一副郑板桥的五言小联，一张他自己的戴方帽的学士装照片。房间虽小，布置却还洁净。他指着两把椅子请我们坐下，他自己就坐在榻上。

霍桑从衣袋中摸出一张名片来，递过去给他。他接过了略瞧一瞧，微微地一笑，顺手将名片放在桌子。霍桑的名片这样子受人轻视，这还是第一次！他将名片给对方，无非想先声夺人，使他有些畏惧。不料他得到的后果竟如此淡漠！这厮不是早有准备了吗？

霍桑指着我道："这位包朗先生是一向跟我合作的好朋友。"

王智生把身子略略仰起些，算是行礼的样子，答道："唔，我也闻名好久了。"他摸出一只赛银的纸烟匣子来，开了匣盖，送过来敬客。

霍桑摇头道："对不起。我有烟。"他也摸出他的白金龙来烧着。

我也有自己的纸烟，王智生的烟盒送到我的面前时，我也照样谢绝了。王智生就自己取了一支，擦火柴烧着。我偷瞧他脸上的神色和擦火烧烟的动作，都十分镇静，仿佛我们俩都是他极熟稔的朋友，此番造访只是随便聊天，所以丝毫没有重视和介意的模样。这个人明明干着犯罪的勾当，此刻当着侦探的面，竟仍能这样子好整以暇，他的胆量和魄力委实不容易估量！

三支烟缕在这小室中氤氲交纠，却静寂无声。

霍桑首先开口："王先生，我们冒昧地造访，也许不是你意料所及的吧？"

王智生的嘴角撇一撇："唔，是的，不过也没有多大出入。"

"那么我想你总已明白我们的来意？"

"当然明白。对不起，我得问一问。你们所代表的当事人，有没有把全权交托给你们？"

"是，全权的。"

"假使有金钱出入，你们也能够代表？"

霍桑似答非答地反问道："这里面有金钱关系吗？"

王智生冷冷地一笑："是啊。你们怎么想不到？难道我闲得愿意和人家说空话？"

"是的，我明白。你现在挟持着一张照片，认为足以影响我们当事人的家属的名誉。你就想在这张照片上发一注横财，是不是？"

"嘿嘿嘿！横财也许没福分，小财大概总可以弄一些。"

"不过就我们眼光看，你的算盘未免太如意。"

"喔？"他的声音中有一星子诧异。

霍桑仍淡淡地说："这照片并没价值。我们没有出钱赎回的必要。"

"喔？我愿意听听你的高论。"

"你总听得过一句俗语叫'搬了石头压自己的脚',这当然不是聪明人的所为。你那张照片如果披露出来,对方所受的影响原是微乎其微,可是你自己简直是自投罗网!"

"何以见得?"

"你大概还不知道。你这件事情,当四年前他们已经在余姚县存过案,只因缺少确实的根据,至今成为悬案。现在有了这张照片,你想你还能够逃罪?"

霍桑停一停,吸一口纸烟。王智生合拢了眼缝吸烟,不答也不睬,他的脸部也毫无表情。

霍桑继续说:"我知道你是一个绝顶聪明的人,决不肯出此下策。因此我打算和你说一说明白,无条件把那东西取回,结束这一件过去的事。照片取回以后,它既然和我们的委托人有一半关系,当然也不至于张扬出来。你也不必怕旧案重提,片面地为难你。"

王智生慢慢地张开些眼睛,吐出了一长串烟雾,脸上现出一种淡淡的微笑。

他答道:"霍先生,你的话真漂亮,不愧大侦探的口才。可惜你有些误会。"

"误会?什么?"

"我所说的有金钱关系,并不是指这一张照片说的。霍先生,你也大概还不知道我还有第二张照片吧?"

唉!真厉害。霍桑刚才告诉顾英芬的话,果然证实了。他当真弄到了第二张照。我知道霍桑是在做一种试探,这时他仍装作不明白的样子。

他问道:"还有第二张照?"

王智生把纸烟头上的烟灰弹去了些,眼光从眦角中斜线地透出，向霍桑瞟一瞟，像表示非常得意。

他点头道："是的，这第二张照片完全是关系你们的委托人的———一男一女在园亭中幽会调情！要是给它发表了，伊的婚约立即可以破裂，我自身却不会受连带的影响。你想这样的东西，我怎肯白白地送还你们？"

霍桑装作领悟状道："唉，原来如此。你索要代价的，还有第二张照，不单是指第一张照，是不是？"

"是。第一张照片，已经失了时效，本来不值钱。若使我只有这一张，既然蒙两位劳驾了，我就讲交情，也尽可以无条件奉还。"

"那么这第二张照片，我们也可以讲讲交情吗？"

王智生一边吐了一口烟，一边冷笑着答道："对不起，这一张照片比较重要些。我们还是初交，论交情，似乎还够不到吧？"

态度太冷酷，说话又尖刻。霍桑虽还维持着常态，我实在忍耐不住。

我插口道："喂，你别太不知趣！我们跟你这样子谈判，委实是抬举你！要不然，谁值得跟你讲交情？"

他侧过些脸："唔，一位大文豪跟我讲交情，真是太抬举我！可惜的是我抬不起！"

我有些发火："别利嘴！快把照片拿出来吧！要不然——"

他冷冷地道："要不然，又怎么样？"

他斜线地向我瞅一眼，开始接烧第二支纸烟。他的状态轻蔑而冷酷，越发使人难受。我不禁陡地立起身来。

我厉声说："你是一个犯法的恶徒！你既然不知趣，我们就自己动手！"我说时，我的右手早已伸入衣袋，把握着了手枪的柄。

他仍毫不慌乱地说："包先生，你也是受过教育的，怎么让感情随便冲动呢？你打算干什么？"

我坚决地说："我要搜！"

"唔，要搜？那是没有意思的。对不起，你还是坐下来。"

王智生仍安然地坐着，但他的头略略侧过些，凑近那扇小窗。他的一只手也伸进那件黑哔叽夹袄袋中去，突地摸出了一种闪亮的东西——一个警笛。他玩弄着那警笛，又很镇静地答话：

"包先生，你的头脑还得冷静些啊！你说我犯法，我没有犯什么法。你自己却快要犯法哩！你想用强力胁迫吗？你凭什么名义和权力呢？那不是太无聊太危险吗？拆穿说一句，你们二位的光降，虽不在我的意料中，可是我也并不是没有准备。我为预防起见，当然也不会把这样重要的东西随便放在这间小室中。老实说，我早就布置好。你们若使用强暴拘禁或伤害我，那张照片就会马上被披露。若使到了这一步地步，我固然吃亏了，可是你们的委托人蒙到的损害，一定比我更厉害。包先生，我想你们的本意大概不至于拙劣得如此吧？"

我起初凭着一股怒气，本想吓他一吓。不行！我失败了！他这一番口齿伶俐的话，的确有使人不能不顾虑后果的威胁。我当然不能再鲁莽从事。幸亏霍桑从中调排，我才借此收了枪。霍桑起先尽我发作，似乎也想利用这恫吓方法的；现在看见情势不佳，便也顺水转舵了。

他向我道："包朗，你坐下来讲。这件事用不到动肝火。你说我们这位朋友犯了法，我们也尽可以用友谊的态度向他进忠告。你何必这样子凶狠狠地使人家难受？"

霍桑说完了，仍自顾自地吸他的纸烟，他明黑的眼珠却从眼角里向王智生的脸上瞥一瞥。我乘势坐下来，我的右手也脱离了衣袋。我看见王智生的脸色似乎略略有些变异，口中吐出来的烟雾也不像先前那么有规则。

他说："霍先生的话不错。我即使有什么犯法举动，我们也尽可以婉商，何况我还懂些法律。我相信我的足趾绝不曾触犯到法网！包先生，我听说你的经历也够深了，怎么还这样子容易动肝火？"

霍桑缓缓点头道："我的本意最好是不动火。只要你也能知趣些，我就准备和你婉商。"

"婉商什么呀？是不是还是无条件要回照片？"

"不是。这个姑且搁一搁，我们先讨论另一个问题。"

"什么另一问题？"

"就是你的犯法问题！"

局势有了转变。霍桑已从守势采取攻势，招架的是对方。王智生略顿一顿，显着疑诧的神气。他斜视的眼光在霍桑的脸上凝注着，似乎揣摩不到霍桑话中的含意。

"我犯什么法？"

"自己干的事，问别人，不像是聪明人。"

霍桑并不回瞧他，只瞧着他自己指缝中的纸烟，语气也很冷淡。对方却开始不安起来了。

王智生说："霍先生，我不懂。你是说现在这件交易吗？这原是出于两方愿意，我并不取强迫手段。我不承认犯法。"

"还有别的哩！"

"唔？我却想不出。什么？"

霍桑微笑着应道："你好健忘啊。现在我问你。你说的要代价交换的第二张照片，是怎样一张照片？"

王智生顿了一顿，答道："我告诉你，就是你的委托人和一个男子在亭子里幽会。这一男一女的面貌都很清晰，故而我相信效力很大。"

"能给我看一看吗？"

"对不起，现在还太早。谈妥了，你自然会看见。"

"那么这张照片你从哪里得来的？"

"这一点不干你事。你不用问得。"

"看货论价是商业上的惯例；即使不看货，也应有说明的必要。我愿意你说说明白。"

他的狭额角上的皱纹深刻了些，疑迟了一下，才说："我也是出了代价购来的。"

霍桑斜睨着笑道："你倒还有说笑话的兴致！"

王智生正色道："真的，我付过代价，而且——"

霍桑忽点头插口道："唉，不错！当真付过代价！……好，我给你计算一下，那代价中最大的一注，要算登一天征婚广告，大概要五六元吧？其次，摄影所用的底片和晒纸谅来也要一元左右。还有半泓园的园资车费和寄递的邮花等等，大约不出一元。统共算起来，也有十元光景。不错，这一笔代价，我们当真应得承认的。"

霍桑的语声中带着些芒刺，他把锐利的目光又凝注在王智生的脸上，似乎希望得到什么反应。王智生的镇静功夫，我先前本不敢轻视，可是这时候他似乎也不能自持。他的身子微微一震，两条浓眉好像更曲一些，脸上也泛出一层苍白色，霍桑说话中的尖刺，分明已经攻进到他的内心。原因是他的阴谋已经意外地被霍桑瞧破，局势就有了急遽而明显的转变！

他停了一会儿，仍装作疑讶声道："霍先生，我不明白你的话。"

霍桑的唇角上露着浅浅的微笑："你我都算不得笨人。何必说什么废话？换一句说，你的举动和计划，我们已完全明了。你取得这第二张照片完全是一种欺诈勒索的阴谋。这种阴谋在法律上犯哪一种条文，有哪一种处分，我不是律师，一时虽不能指明，但刚才敝友所说的'犯法'的话似乎总可以有成立的可能。"

小室中静一静。霍桑重新换一支纸烟。王智生忽皱紧了狭窄的眉峰，又把牙齿咬着他的薄薄的嘴唇，露一种愤恨的窘状。是的，我开始感到得意，因为胜利在望，这个阴险人物竟也有些抵御不住。

他勉强维持着他的镇静，冷然说："法律重证据。你的话似乎说得太如意。"

霍桑仰起些身子，反问道："你要证据吗？自然有！我问你，今天早晨当你在假山上摄影的时候，可曾觉得假山左旁的罗汉松荫中，也有一个人带着照相机，同样在那里摄影吗？不过你摄的是翡翠亭中的一男一女；我摄的就是假山上的你！"

"我？"

"是的。我不像你那么小气。要是你喜欢瞧瞧你自己在假山上摄影时的姿态，那我决不索要什么代价！"

这话一出，王智生的脸灰白了，两目怒张，偏斜的眼珠几乎突出眶外，鼻子弯钩上有些亮晶晶。惊骇、愤怒、羞恨，似乎一时交集，竟使他说不出话来。

霍桑仍自言自语地说："我早已说过，害人自害的举动聪明人是不肯干的。第一张照片如果发表，你自身有不小的危险；第二张照竟是你自己的罪状，当然更无益于你。我告诉你，这照片是有方法证实的，一经证实，我们的当事人方面就可以毫无影响，可是你企图胁索的欺诈罪却没法逃避了！"

王智生没法掩饰地愣一愣。他显然已经看到他的命运的归趋。他费心费力所构成的挟索阴谋，正像一座纸糊的台阁经一阵骤雨，立刻给打得东倒西倾！他的懊丧反映出我的内心的喜悦。

王智生低头沉吟了一下，仍作强硬声道："你莫非想用什么虚冒的诡计来愚弄我？"

霍桑庄容道："你说这话，不但瞧不起我，也瞧不起你自己。论理，我们尽可用别的有效的方法对付你，但我们还是第一次见面，我知道你是个知识分子，得方便处且方便，故而采取这婉和的方法，让你留些颜面。可是你怎么还半信半疑？那未免使我失望。现在我所说的照片，就在我的袋中；在必要时我还可以到蓬莱路九十七号去请那姓杨的来证实一下！"

唉，最后胜利属于我们了！榻架子在震动作响，王智生已坐不安稳。他知道霍桑对于他的前后的举动果真已完全明了。他的计划将是无可挽救的失败。他抬起了头，他惊疑的神情中不禁流露出佩服的神气。他又低下头去，他的两只手忽而握拳，忽而放开，表示他心中正碌乱无主。

霍桑从衣袋中摸出一个白色的信封："瞧，我的照片在这里。我们就此交换了，也可结束这一次小小的纠葛。"他就从信封中抽出一张印好的照片和一张软片。

我仰过头去一瞧，照片中正是王智生在假山上拍照的侧面，虽有些松针影子的阻隔，但他的真相却一望可以辨别。

霍桑又从钱夹中取出一张十元的钞票，说："王先生，这是我赔偿你的费用，请你收下了。我相信你的照片一定就在这室中，快取出来还了我们吧。我们不能多耽搁，还有别的事呢。"

电灯光描绘出王智生的神色完全变了，身体也在颤抖，仿佛一个死刑囚到达了刑场，前面只有一条路——死，此外已丝毫没有希望。经过了一度沉默，最后他叹出一口气。

他立起来，说："霍先生，我佩服你！你的手段真高明，真敏捷！现在你总算胜利了！"他垂头丧气地向那一扇窗口走去。

霍桑说："你过誉了。那完全是出于偶然的机缘，我不敢领受你的称誉。"

王智生走到了小窗边站住，回头瞧着安坐的霍桑：

"霍先生，我们交换了照片，就算彼此两讫，是不是？"

"是。"

"没有其他枝节？"

"是，我决不难为你。"

"我可以有什么保证？"

"我的话还不够保证吗？"

王智生想一想，点点头。他把手中的警笛放入袋中，顺手移动那小窗上的墨绿纱的窗帘。他从窗帘后面取出一条软片，授给霍桑。霍桑也立起来接受了，对着灯光瞧一瞧。我看见那软片共有六张：三张空白，一张模糊不清，其余两张都很清晰。

霍桑问道："这底片洗出来后，你还没有印过吗？"

王智生摇头道："没有。这是我自己洗的。你瞧，底片还没有干透。"

霍桑点了点头，便折好了蒙在衣袋中；他又把他自己摄的一片一底和一张十元的钞票承在手掌中。他正要一起交给王智生的当儿，忽又顿住了。

他说："唉，王先生，还有第一张照片呢？这东西在你手中也没有用，不如一起还了我吧。"

王智生略一踌躇，便点头道："好，我索性买买你们的面子。包先生，请站一站起来，照片就在你的坐垫下面。"

我立起身来，把椅子上的一个蓝布垫子翻开来，果真有一个用新闻纸包裹的纸包。我拿起来，解开了几层纸，里面真是一张四寸的照片。这东西藏在这样的地方，一时当真想不到，也可见他的虚虚实实的智诈。霍桑把照片接过瞧一瞧。照片中一男一女：男的站着，是王智生；坐的女子是顾英芳，伊和顾英芬的面貌的确很相像。下面的硬纸版上还有照相馆的牌号，地点真是上海。霍桑将这照片也藏在袋中，才把手中的照片钞票等交给王智生。

他举一举手，说："王先生，我们今晚的交涉，结果总算是圆满的。要是你能够常常记着这回事，也许多少于你有些益处。"

他说完了，嘻嘻一笑，不等王智生作答，就点一点头，回身走出来。王智生也不送出，我们就自己下楼。走出了德安里，霍桑才站住了，舒口气向我说话。

他说："包朗，我们今天的成功真是意外的侥幸！对付这样一个智诈人物，居然'兵不血刃'，这是超过了我的预料的。单就使命上说，我们的目的，原注重在第一张照片。这照片要是给宣布了，不但足以破坏顾英芬的婚姻，而且剔破了旧创疱。也许足以使伊的父亲气愤送命，连伊的哥哥也必连带地蒙羞。现在轻轻地取还了，那是值得庆贺的！"

我答道："不过这个知识流氓明明干着犯法的勾当，你这样轻轻地发落他，未免太便宜了他。"

霍桑瞧着我，问道："嗯，你的意思是不是说我们应当惩戒他一下？"

"是，虽则投鼠忌器，我们不能用法律制裁他，但让他这样子安然地过去，我总觉得不舒服。"

霍桑沉吟了一下，说："是的。不过对付这样一个人，要寻一种有效的惩戒方法，实际上也不容易。你看见他的曲眉、削额、斜视眼、鹰爪鼻，依据龙勃罗梭的犯罪者生理特征的论断，他是个典型的罪徒；并且根据孟德尔的遗传律，他的犯罪倾向还是先天性的。你要惩戒这样一个人，除了出出气以外，简直没有彻底的有效方法。"

我默然不答，心中总觉得便宜了这个作恶多诈的干智生。我们继续进行，到了转角上，霍桑又站住了。

他向我道："包朗，你先回去。我还得往明镜照相馆去，把这第一张重要的底片买回来，让这件案子得到一个最后的结束。"

再来一手

我回到寓所，已交十点一刻。我在办公室中烧了一支纸烟，等霍桑回来。我想到在一天之中，我们破获了一件秘密的案子，不能不算意外地顺利。这王智生确是一个狡猾而工心计的人。幸亏霍桑早有准备，才使他的阴谋完全失败。不过他利用阴谋，欺害一个柔弱的女子，起先又伤害过一个女子的性命，这样一个社会的蟊贼，我们因着有所顾忌，法网虽密，竟也奈何他不得，想起了总觉得愤愤不平。

烟灰盆中积了五六个烟尾，直到十一点钟，霍桑方才回来。我看见他的眼睛中显露着得意的光彩。

我问道："你怎么耽搁了这么久？"

霍桑道："我往明镜照相馆里去，敲了好久门，方才让我进去。我要买回那张王智生和顾英芳合摄照片的底片，以防他以后再有什么歹意。这张照片已经隔了三四年，他们找寻了好一会儿，好容易找着。那底片已是模糊不清，现在我已经买回来了。此外我还到——"他忽停住了作倾听的样子。他作惊讶声道："唉，这样深夜，还有什么人来？"

我听见施桂出去开门。一刹那间顾英芬急急忙忙地闯进来。伊又换了一件纯黑色的顾袍。灯光照在伊的脸上，苍白失血。伊一见我们，便双手掩面，悲悲切切地哭起来：

"霍先生，事情坏了！哎哟！请你做一次好事，立刻借给我一些款子。我一定加利奉还！"

人与话都是突如其来，不由使我大吃一惊。霍桑也站起来，变了面色，站住了发呆。数分钟前那种得意的神气，霎时间已从他的脸上溜走了。

他问道："顾小姐，什么事？"

顾英芬拿出一封信来，说："霍先生，你瞧吧。事情很急促。我不知道是不是还来得及！"

我瞧那封信时，仍是王智生写的铅笔字。

那信道：

> 你果真厉害，叫侦探来制伏我。但是我不是傻子，当然不会白白地空忙一场。我告诉你，还有一张照片在我的手里。英芳和我合摄的照，共有两张：一张虽已给姓霍的

拿去了，第二张还在我的箱子里。这照片有我自己在里面，本来不打算利用它。可是现在我失败了，不愿意再在此地立足，故而决心和你拼一拼。我限你在接信一个钟头内，亲自送三千元来，赎回这照片，就算彼此了结。要不然，我在一小时后，立即将这照片送交北海路金学明那边去，借此泄泄我失败的愤恨。假使你再去请教那姓霍的，我誓死要在你身上报复！你自己决定吧。

我们读完了这信，室中一片静默。我把目光移到霍桑的脸上。他的两目张大，嘴唇在微微颤动，呼吸也渐渐地加急，显出一种又怒又惊的神气。唉，恶汉竟再来一手！谁想得到？

他喃喃自语道："唉，可恶！真可恶！"

顾英芬呜咽地叫喊："霍先生，快些！"

"唉，你别怕。他也许空言恫吓。"

"不！霍先生，你不要这样想！这实在太危险！这封信是一个穿黑色短衣的人送给我的，那时才十点一刻，现在十一点已过，马上赶去，也许已来不及。霍先生，请你快些救救我吧！"

霍桑仍挺立着。他咬着他的嘴唇，他的脸色由白而转青，额角上青筋暴起。他像在悔恨，又像在考虑应变的对策。怎样应付呢？这个罪徒出言反复，原是他的常态，霍桑刚才怎么轻信他？他维持他不再为难这恶汉的诺言，现在这恶汉竟再来一手，霍桑怎样应付呢？

霍桑叹口气，打定了主意，说："那么，你要多少？"

我也不禁摇头叹息。霍桑终于失败了！他除了屈服以外，竟没有别的办法！

顾英芬道："我接信以后，私下溜出来把所有的首饰往押

铺里去押了一千；又冒夜到一个同学家里去借了一千；依他要
求的数目，现在还差一千。”

霍桑点了点头，立即走到室隅去，掏出钥匙来开了铁
箱，取出一沓钞票。他正要交给顾英芬的时候，忽又缩手。

他问道：“你的两千元在身边吗？”

顾英芬道：“在这袋里。我原打算凑齐了款子，直接赶得
去。不过时间已很局促，从这里到北山西路，至少也得一刻
钟吧。”

霍桑想了一想，立即走进电话室去，打电话到附近的龙大
汽车行去，雇了两辆汽车。他回进来时，又向顾英芬表示：

“顾小姐我看还是我再给你去走一趟。你不妨在这里等候
消息。你把你的两千元给我。”

“他说他要我亲自送去。霍先生，你……你去不得！”

“不。你去，太危险。这恶汉说不定另有恶计。还是我去。”

“那么你不会……不会闹翻吗？”

“不会。你放心。这件事应得由我担负全责。”

顾英芬呆瞧着我的朋友，仍有些疑迟不决。

霍桑催促道：“快些，不要耽搁。我一定给你办妥。”

顾英芬才从手中提着的绣金的钱袋里取出两大卷钞票，交
给霍桑。

伊又叮嘱道：“霍先生，你万万不可跟他决裂。你得知道
这照片一到外面，我们的全家都不免要被毁了！”

霍桑不再作答，点了点头，急急穿了一件栗壳色春呢外
衣，又取了帽子。

他向我道：“包朗，你坐汽车到北海路金学明家去。如果
见任何人送照片去，你应尽力阻止，别让它落到金学明的手

中，但以一小时为限。如果一小时内没有人送去，我们可另想别法，你也就可以回来。"他说完了便大踏步奔出室去。

这时汽车的喇叭声音已在门前响起。我也不敢耽搁，向顾英芬安慰了两句，又问明了金学明家的号数，就急急出来。门外有一辆空车停着，霍桑的一辆已先驶去。我跳上了车，立即向目的地开驶。约莫十分钟，便到了北海路口。

我下了汽车寻到一〇八号时，见是一宅西式屋子，前面铁门上有一块紫铜的牌子，标着"金第"二字。我瞧瞧我的手表，已是十一点二十五分；王智生的一小时的时限分明已过了十分。霍桑此刻已和他接见没有？假使他在霍桑赶到以前已经将照片寄出，那么此刻可已给送进金家里去？我从铁门里向内窥视，里面虽还有灯光，却是静悄悄的不闻人声。我不便敲门询问，只索性在门外等待，希望那照片还没有给送到，我才有从中阻住的机会。

我在北海路的转角上徘徊了一刻钟光景。马路上行人稀少，并没有找屋子送信的人。远望马路的西端，有一个警士不时向我站立的地方瞭望着。我觉得有些局促不耐。王智生若使在霍桑见面以前已将照片送出，这时候应已送到。假使不然，霍桑到达他那里以后，王智生势必没有寄照片的机会。那么我留在这里也属徒然。因此，我挨到了十二点钟，看见那警士在缓缓向我走近来的时候，为省费口舌起见，我便也回身离去。汽车依旧等着，我就坐了回去。

顾英芬仍一个人坐在我们的办公室里等消息。夜深寒冷，伊的身子像畏寒似的缩紧着。

伊一看见我，忙问道："包先生，怎么样？"

我回答道："我没看见有什么人送照片去。这件事霍桑一定会办妥当。"

"会不会在你到那里以前，照片已给送进去了？"

"不会。我想不至于这样迅速。"

伊顿一顿，又说："但霍先生怎么还不回来？他们也许已闹出了什么乱子吧？"

我安慰伊说："你别焦急。他绝不会弄坏你的事。"

伊仍不安地说："不过我很害怕。你想一面交还照片，一面付钱，几分钟就可了的，怎么要这许多时候？"

话自然很近情理，我心中也怕发生了什么变端，但嘴里只得勉强说几句安慰话：

"顾小姐，你放心。霍先生已经应许你，这件事由他担负全责，你尽可以信任他。"

顾英芬不再说话。伊沉下了头。伊的柳眉颦蹙，樱唇上血色全无，手中拿着一方素巾，不时按在伊的嘴唇上。伊忽而低头，忽而仰面，呆看着电灯，又时时向窗外倾听，那种坐不稳定的样子，真觉得可怜。我也爱莫能助，心中也和伊一般地忐忑。事情究竟怎么样？霍桑真个屈服地用钱买回照片吗？还是和这恶汉硬拼呢？要是为权宜计，先用买卖方式了结这一张照片，他的确应当回来了。现在他还不回来，难道他真采取了强硬态度，此刻已发生了什么变端吗？这个知识流氓一变再变，真是恶毒透顶，若不严厉地惩戒他一下，不但出不了这一口气，而且近乎养痈遗患，以后可能有别的无辜的人受他欺害。

好容易挨到了十二点半，我才从默想中听得远远的喇叭声音。有一辆汽车驶近来了。

顾英芬突然呼道："霍先生回来了！"

伊怎么知道这汽车就是霍桑的？伊的神经不会错乱了吧？

不过我也十二分盼望伊的话能够猜中。可是那汽车驶过了我们的寓所，仍向西去。

伊又失望道："哎哟！不是！"伊的语声惊怖而颤动，像要哭出来。

"别发愁，我相信他快要来了。"这是我无聊而又无效的慰藉。

彼此又静默了。自然，这静默是难受的！

又过一会儿，伊又不禁跳起来："包先生，你听！又有一辆汽车来哩！"

是的，又是一辆汽车。我点点头。那汽车越驶越近，喇叭声音也续续不止。

我说："是的，是他了！顾小姐，你听，这连续的喇叭声音显然报告你交涉已经办成功。你不用再悲伤哩！"

顾英芬颓丧的精神果然被提振了。伊站起来，靠着窗口敛神听着外面。汽车果真停止在门外，接着有一个人的脚步声急促地进来。顾英芬抢步去开办公室的门。门开了，抢先传进来的是细细的叮当声响，跟着进来的是个西装大汉——不是霍桑，是早晨在半泓园中约会的杨春波！

"哎哟！"

顾英芬喊了一声，身子突然倒退几步，要是没有一只椅子支着伊的身体，伊多半会倒在地上。伊惊骇极了。伊的腰部支着椅背，上半身微微后仰，眼睛中露出骇光，仿佛伊的面前又突然涌现出一个张牙舞爪的魔鬼！这被动的配角再度出场，而且又在这个时候出场，让我也觉得突如其来，而且是莫名其妙。他却并不诧异，在门口站一站，便跨进一步，向着顾英芬鞠了一个九十度的躬，嘴里还连声道歉：

"顾小姐，对不起，对不起。我抱歉得很，此刻特地来赔罪。顾小姐，请原谅。"

顾英芬还是靠着椅背站不直。我也不知道他说话的用意。

我上前一步："杨先生，这是什么一回事？"

杨春波一边将腋下挟着的一个方形的厚纸包放在桌上，一边答道："我是来向顾小姐赔罪的。今天早晨我受了人家的愚弄，才冒冒失失地得罪顾小姐。别的事让霍先生来说。他在门外付车钱呢。"

熟悉的脚步声告诉我霍桑果真已经进来了。他跨进了办公室的门口，向顾英芬点点头，摆摆手。

他含笑道："顾小姐，请坐，别慌。这件事总算办妥了。但这不是我的功，你应得谢谢这位杨先生。"他从衣袋中取出一大沓钞票，数了一叠，交回给顾英芬。他又说："这是你的两千元，完全不曾动过。"

顾英芬站直了，但像走进了迷阵一般，瞧瞧霍桑，又瞧瞧杨春波，既不接钱，又不坐下，却张口瞠目地说不出话来。自然，这迷阵连我也圈进在内。

霍桑将钱放在桌上，又含笑道："好，我们大家坐下来谈。顾小姐，请原谅。我们要吸一支烟哩。"

于是我们四个人先后坐了下来。霍桑吸着了纸烟，才缓缓地解释。

他说："这最后一幕的戏，表面上似乎很曲折，实际上却简单不过。刚才我坐了汽车再到北山西路王智生那里去时，四个同居的仍在打牌，那个短衣男人不见了。据同居的说，王智生已不在楼上。我以为他已经逃了，不免吃一惊，再问一句，才知道他是给人送到医院里去的。我更觉奇怪，就仔细查问。据说即刻有一个高个子穿西装的少年上楼去看他。不多一会儿，那少年便下楼出去，他们原不以为奇。后来那些同居的打完了牌，回到楼上，忽然听得亭子楼中有呻吟声音，推进去一瞧，看见王智生横倒在地上。室中的铺盖和箱子似乎曾经收拾过而重新打开的样子，显得杂乱不堪。那时王智生已不能说话，邻居们料想，他必曾和那个西装少年打过架，他分明已受了伤，因此就把他送进仁济医院去。我一听这一番经过，便料到是这位杨先生的成绩。于是我又赶到蓬莱路他家里去，一见面后，果真不出我所料。"霍桑说到这里，向杨春波点点头："你经过的事还是你自己说吧。"

迷阵似乎攻破了第一线，但还没有直捣核心，因为照片的交涉还没有说明。所以顾英芬依旧呆怔着。

杨春波接替地说："大约两个钟头以前，霍先生来看我，告诉我侦查的结果，我才知道这回事的曲折。这恶汉作弄我，把我做一个傀儡，又把我摄入照片中。他要陷害这顾小姐，连我也牵连在内，实在可恶已极。所以我一等霍先生走了，立即赶到这恶汉那里去。

"他家的楼下有四个人在打牌。我一直走到他的楼上。他正封好了一张照片，在那里写姓名、地址。他突然看见我，大吃一惊，立起身来，伸手要从衣袋中摸什么东西。我以为他的袋中藏着手枪，就举起一拳，击他的胸口。不料这家伙心思虽恶，身体却脆弱得像纸扎的。我只一拳，他喊都没喊，身子向左一侧，立即倒在地上，不响也不动了。

"我想起我投信应征的时候，还附过一张照片，谅必还在他的手中。我看见他的铺盖已打好了，像要动身往什么地方去。我在铺盖和箱子里找了一会儿，不见我的照片；后来竟在壁角里的字纸篓中发现了一大沓照片，分明有好多人都是因着他的阴谋的广告上了他的当，把照片寄给他。我的照片也在其内，我就拣了出米，一并连着桌了上那张他正预备寄发的照片也拿走了。

"我出来时，楼下的人们仍在打牌，绝不疑心我。直到霍先生第二次来看我，我才知道这恶汉要寄发的一张照片跟顾小姐有关系，也是很重要的。顾小姐，现在我也带到这里了。"他立起来把桌上的纸包打开，拣出了那张照片双手交给顾英芬。

两个人的解释都很明澈，我对于最后的一变已没有什么翳障。顾英芬的愿望成遂了，对于霍桑自然有一番由衷的感谢。不过这重要的一张照片是通过杨春波的手拿回来的。伊想起了这少年在翡翠亭中的冒失行为，不免还有些芥滞，可是终于在羞怯的状态下向他谢了一声，拿了两千元回去。杨春波怕夜深了，路上不方便，表示情愿送伊回家。这好意的表示，顾英芬没有接受。结果仍由霍桑雇了龙大车行的汽车，让伊独自回家。

杨春波在临走时，曾听到霍桑的几句说教性的训话，敬诫他别让色情狂毁坏他的青春和前途。春波的脸上有没有添些色彩，我因着门口的灯光不十分亮，不曾瞧清楚。

在这两位当事人走了以后，霍桑还高兴地烧着了一支纸烟，在灯光下向我解释他的惩戒方式。

他说："包朗，你刚才因着我轻轻发落了这恶汉，感到悻悻不满，现在怎么样？"

我答道："杨春波这一拳可算聊胜于无，多少出了一些闷气。"

他点点头："是的，这只有'出出气'的作用，其他说不上什么。"他连续吐吸了几口烟，又说："包朗，你可知道我采取这个方式的用意？"

"你因着顾忌顾姓家属的名誉，不能用合法的方式制裁他，才间接地利用这姓杨的去教训他一下，是不是？"

"是。不过还有一点，我之所以不能直接惩戒他，还接受了我和他交换照片时我给予他的诺言的束缚。"

我应道："是，这一点我也明白。不过我觉得这样的惩戒，对于这样一个阴险的罪徒，究竟太轻，太不彻底——"

霍桑忽拿下了黏在他的嘴唇上的纸烟，接口道："彻底？包朗，你有什么样的彻底方法？你说！"

我瞧瞧电灯，默然地不答，实在是答不出。

他感喟地说："包朗，你总知道惩戒就是刑罚。你也涉猎过刑法学，总也懂得刑罚是因着社会制度的演进而形成各种不同的主义和方式的。最原始的是'以眼还眼以牙还牙'的报复主义；其次是利用严峻的体刑的威吓主义；再进是身心兼顾的劝诱或感化主义；直到最近，刑法上有了一大进步，采取了未雨绸缪的防卫或防范主义。你想，对付王智生这样的人，应得采用哪一种方式才能见效，才算彻底？"

我寻思了一下，反问道："据你说，难道没有一种对于他是有效的吗？"

"是，的确没有，因为他这个罪徒性已实现！威吓、感化、防卫，对于他都毫无用处，所以我在无可奈何中，采取了最野蛮的方式。我知道杨春波是个粗人，闷着一肚子火，用不着给予他什么暗示，他自然能给我执行这个任务。不过，我说过了，这仅仅是出出气罢了，绝对说不上效果或彻底！"

时针已指向凌晨三时。霍桑还没有倦容，兀自一支接一支地皱眉吸烟。他对付这一件小小的事件，大体上算是成功的，可是他因着没法惩戒这歹徒，还是这样子劳神苦思。

我解劝地说："霍桑，算了吧。夜深了，睡吧，别再多耗脑细胞哩。"

他好像没听得，突地仰起脸来，兴奋地说："彻底方法未始没有，可惜办不到！"

我说："唔？那是什么？"

"有消极的和积极的两种。对付这种先天性的典型歹徒，积极的是依据优生学的原理，采取医学手术，消除他的生殖机能，使他的犯罪性能不致再流传到下一代；消极的只有判他个终身监禁！可惜这个方法都不是我的能力所及！"他又叹一口气。

我常说，事情的变化往往出乎人的意料。这里又是一个例证。霍桑的遗憾忽然被一个意外填补。

十月二十四日，我们读到一节新闻，仁济医院里有个受伤的病人因心脏病并发，在进院第六天不治身死。这人是在十月十七日半夜给邻居们送进去的，受伤的原因是打架，致伤的对方却不知道是谁。

下一年二月中旬，金学明和顾英芬在中央大礼堂举行婚礼。霍桑和我都接到一份请柬。我们去观礼时，我看见魁梧臃肿的杨春波也走到来宾席中去。他的背心袋口上的两个金镑还照样叮当地响着。

王 冕 珠

临别纪念

时候是七月的上旬。我和霍桑因着我们的老同学丁松琴的太夫人七旬大庆，特地一同回到苏州去贺寿。丁松琴住在幽兰巷中，我们为避免旅馆的烦嚣和与朋友们的应酬，就下榻在松琴家里。丁老太太的寿辰是七月九日。这一天天气很热，来宾又多，什么戏法、游艺应有尽有，一直闹到了半夜方才散席。松琴是受过新教育的人，在一个药厂里工作，但丁老太是个虔诚的佛教信徒。伊平日自奉很俭约，但在施舍上却毫无吝色。这一点深得霍桑的敬佩，因此他才肯在大热天破例地拉了我赶去贺寿。松琴因为要博老太太的欢心，故而一切排场仍完全旧式。我们本打算下一天早晨就动身回沪，不料平空间忽起了一场小小的风波，几乎耽误了我们的行期。

七月十日的早晨八点钟光景，我和霍桑正在漱洗，准备吃过早饭乘第二班车动身。松琴的儿子振之忽然急匆匆地走进我们的卧室。

他高声叫道："两位伯伯，不好了！玉皇大帝的珠子不见了！"

我们突然间听了这句话，不禁有些好笑，可是一瞧见他那种急遽的状态，又不像是来开玩笑的。这孩子已经十三岁，小学才刚毕业，白嫩的面庞配着一双黑白分明眼睛，生就一副聪明灵敏的面相。这时他穿一件白纱斜纹的反领衬衫、黄短裤、白帆布鞋。他的一双天真的大眼中闪着异光，声调也漏出不必要的紧张。

霍桑把手中的漱口杯放下了，正色问道："振之，你说什么？玉皇大帝？什么意思？"

那孩子还没有答话，他的父亲松琴也披着梳洗衣跟了进来。

他抢着答道："没有事，没有事。别听这孩子饶舌。"

我接嘴道："那么，可是振之和我们开玩笑？"我又记起了我们的小朋友米慧生。自从那一次经验以后，我对于这班"后生可畏"的小友不无有些戒心。

松琴答道："那也不是。珠子是当真失去了一粒，可是不值多少钱，随它去吧。"

那孩子似辩非辩地叽咕着："祖母说，这珠子失去得很奇怪，要是不查明白，伊一定不干休。"

话倒并没有过分渲染。这时候我果真听得丁老太在楼下呼噪骂詈的声音。松琴皱着双眉，正要喝住他的儿子，霍桑忽摇摇手接口：

"松琴兄，这事很有趣。你姑且说给我们听听。怎么振之说是玉皇大帝的珠子？珠子又是怎样失去的？"

丁松琴无奈何地说："你们都已看见过楼下的左厢房吧？那是家母的念佛堂。你们都知道伊老人家有些迷信，欢喜吃素念佛。从前我虽曾再三譬解，伊总是不听，做儿子的没法禁阻，也只能听伊自然。那念佛堂里供着一个玉帝的偶像，是沉香木雕的，他身上穿的红缎龙袍也是家母特地到木渎去定绣的。这偶像的王冕上有一粒珠子，是真的。偶像本装在一只红木的佛龛里，龛的前面是玻璃。今天早晨伊照常起来点香念佛，不料香还没有点，伊先向佛龛内一瞧，王冕上的那粒珠子竟不见了。"

霍桑的脸上现出了一丝笑容，说："这倒有趣，也很奇怪。我们不论走到哪里，总会有这种事儿发生。"他向我瞟了一眼，我笑一笑。他又回头问松琴："别的可曾失去什么？"

松琴道："没有。单单失去了这一粒珠子。"

"珠子值多少钱？"

"这是我们家里原来有的，我也不知道值多少。但大小只有一粒赤豆的样子，值不到多少钱。"

那孩子振之忽又接口道："这珠子至少可值一百块钱。"

我们三人的眼光都不约而同地瞧到这孩子的脸上去。

松琴沉着脸说："你又来多嘴！你怎么能知道？"

振之说："昨天小姨母家里的奶妈说过的。伊领着惠林弟在佛堂里玩，瞧见了佛龛里的那粒珠子，便说它足值一百多块钱。伊从前做走公馆的珠宝掮客的，故而懂得真珠的价值。"

"不行！……不行！……珠子谁拿的！非找出来不可！……不行……不行！"

楼下老太太的呼噪声音越发厉害。伊分明在那里盘问几个仆人。松琴把衣襟裹一裹紧，搓着两手，蹙紧了眉峰，现出一种进退不得的样子。

他喃喃地说："唉，家母年纪虽然大，脾气还是这样子躁急。对不起，我下楼去劝劝伊再说。"

霍桑点点头："好，你先下去，我们就下来。你请老伯母别着急，这件事大概总可以弄明白。"

丁松琴挥挥手，领着他的儿子振之一同退出去。

霍桑一边用一只黄杨木梳理他的头发，一边含笑向我说：

"包朗，我们在这里搅扰了两天，少不得要留些临别纪念哩。"

我问道："这虽是小事，你可有把握？"

霍桑沉吟地答道："这还难说，但料想起来，不见得有多大困难。"

"你想会不会再来一套'古钢表'的把戏？……你总没忘掉米慧生吧？"

霍桑扣好了一条白地儿黑点的领带，向我摇摇头：

"我想不会。振之的年龄还小，人也比我们那位小友米慧生诚厚些。我想他不会跟我们捣蛋……你已经舒齐了吗？我们就下去瞧瞧。"

丁松琴的老太太是个菩萨心肠、金刚脾气的旧式女性。伊的性子确实很躁，年少的火气并不曾因年龄而减损，逢到不如意事，便要使性动怒，谁也按捺不住。此番伊失了珠子，又不禁大发脾气。但伊所以如此，倒并不在珠子的代价上面，却似乎因着佛龛里失了东西，未免有渎神明。故而伊的怒火的导线显然是一种强烈的宗教信仰。当我们下楼走进佛堂的时候，伊仍不住地说着。松琴虽低首下气地在旁劝解，却完全无效。霍桑似乎也不敢贸贸然插身进去，便利用机会，在旁边站住了静听。我也知趣地站在他的背后。

丁老太太怒声说："这件事非弄明白不可……真罪过！菩萨身上的东西，竟敢盗窃，这个人的胆子委实太大……三子，你说昨天徐家太太的奶妈在这里玩过的，伊可曾把佛龛玻璃开动过？"

三子是丁家里的一个小使女，年龄还只十二三岁，穿一套花洋布的衣裤，这时正张着惊恐的眼睛，战战兢兢地站在供桌的一端。

伊胆怯地答道："这……这个我没有瞧见。"

丁老太太道："那么伊可曾独自在这里玩过？"

三子道："奶妈在这里时，我和振之官、舅少奶和阿福都在一块儿。伊后来有没有独自再来这里，我不知道。"

阿福也是一个二十岁左右的小童，剃着光头，穿一套夏布衣，身材相当高。

他接嘴道："昨天我只在这里立过一立，就走出去了。"

旁边还有一个穿蓝夏布衫驼背白发的老妈子，脸上同样蒙着尴尬的暗影。

伊也开口道："昨天这佛堂里的窗整天开着，出进的人很多。谁敢到这里来偷东西？"

丁老太厉声说："喔，谁敢来偷？你……你说没有人偷？那么门不开，户不开，珠子会生了翅膀飞出去？"

松琴又走前一步，说："妈，别再发火了。我马上去买一粒！"

丁老太的火上仿佛加了油："你去买？难道我不会买？我要查明是谁偷的！谁敢偷菩萨的东西！"

局势有些僵，我们再不能旁听下去。我正在想一个解围的方法，霍桑却暗暗地点了点头，走前一步，向丁老太鞠了一个躬。

他婉声道："老伯母，请息怒。这件事让我来问一问，准可以查明白。松琴兄，你陪伯母往里面去。我想在十分钟内，这一粒珠子准可以拿回来。"

中　计

十分钟内拿回来？我不禁暗暗诧异。这可是霍桑的缓兵之计，暂时息一息这位老太太的怒火？否则他刚才下楼，怎么便胸有成竹地说这句夸大话？丁老太听了霍桑的话，火气果真平了些，向霍桑点点头。松琴便顺水推舟地扶着伊往里面去。那少年阿福似乎也想溜出去，霍桑忙招招手止住他。

他说："阿福，别走开。我要问几句话。"

这男仆站住了，霎了几霎眼睛，向我的朋友呆瞧着。

霍桑问道："阿福，这里的仆人可就是你们这三个人？"

阿福答道："不，还有前门的王老伯。可要我去叫他进来？"他分明又想找个脱身的机会。

霍桑微微笑了笑，答道："不必你去。"他回头向驼背的老妈子说："胡妈妈，还是你去叫看门的进来。"

那老妈子应了一声，蹒跚着走出去。霍桑缓缓走到佛龛面前。我也跟着走近去。那佛龛放在一只红木供桌上，龛前拼着一只小方桌，桌上有两个小小的插花的瓷瓶，一副锡质的寿字蜡台，台盘上盖着剪成如意头形的红纸盖，居中还有一只颜色黝黯的古铜香炉，边口上有些香灰。霍桑在这些供品上瞧了一瞧，便在方桌旁的椅子上坐下。这椅子平日是太夫人坐着念佛的位子，此刻霍桑坐了下来，却带着法官审鞫疑案的神气。一会儿那老妈子已把一个穿黑羽纱长衫的看门人王老头儿叫了进来，连同小使阿福和小使女三子，四个人排班似的站在一起。我和振之也坐在桌子的那边，静默地瞧霍桑审案。我自知我的神情还不及那孩子的宁静，因着十分钟内追回珠子的诺言，我正在替我的朋友担忧。

霍桑说："这件失珠的事情，你们谅必大家都知道了。这珠子显然是有人偷去的。据我推想，窃珠的人也一定就是这屋中的人——说得明白些，也就是你们四个人中间的一个！"

四个仆人都愣了一愣，站立的行伍也略略起些动摇。可是大家只面面相觑，没有一个人开口。这断语不太冒险吗？还是他果真已有了把握？

霍桑又说："这句话你们也许觉得不服，是不是？你们也许要说，这珠子既不是新近放进佛龛里去的，何以先前没有此念，却在昨天庆寿时才行窃？我来回答你们。因为那窃珠的人，本来不知道这珠子的价值，昨天听了徐家奶妈说明白以后，才知道珠子值百多块钱，因此起了贪念。这人认为昨天人多手杂，趁这机会偷了珠子，可以嫁罪给外来的人。其实昨天出进的人很多，这佛堂里的窗又没有关，珠子既然在佛龛里面，行窃时必须移去花瓶蜡台，然后开了玻璃门动手，手续上也相当麻烦。换一句话说，偷珠的事并不太简便容易，却需要若干时间。昨天人多眼众，事实上反而不便，一定没有人敢下手。所以我敢说定这珠子必是在今天早晨失去的。因此之故，那些宾客和宾客的仆役们都已没有关系，而行窃的嫌疑却在你们四人中的一个人身上。"

这句话霍桑实在说得有些冒险。他指出的行窃的时间固然很合理，但行窃的人果真是四个人中的一个吗？这人是谁？他可也有把握吗？我瞧瞧他的神气，目光凝定，好像他已经确定无疑。那四个仆人都面露异色。阿福的脸灰白了，嘴唇动了一动，好像要抗辩，却又不敢出口。三子的嘴唇在发抖，伊的两手在捻那件花洋布衫的左右衣角。那老婆子胡妈却只张大了眼睛呆瞧，仿佛伊的耳朵有些重听，还听不清楚霍桑的语意。只有那看门的王老头儿怒目瞧着霍桑，表示一种愤懑不服的样子。霍桑在这四人的脸上略略一瞥，仍泰然自若地继续说下去：

"这个窃珠的人，在今天清早溜了进来，便开了佛龛的玻璃门，动手窃珠。所以我们现在要查明这个窃珠的人非常容易，只要证明今天早晨你们四个人中间，什么人到过这念佛堂里！"

"我进来过的！"那是小厮阿福的急不待缓地答应。

霍桑的眼光向他瞧了一下："喔，你进来过的？干什么事情？"

阿福道："我进来揩玻璃窗，不是偷珠子！"他的语声近乎外强中干，有些战栗。

霍桑仍婉声道："你不偷最好。我相信可以查明白，绝不会冤枉无罪的人。但当你在这里揩窗的时候，可有别的人进来过？"

阿福摇头道："没有。我只看见胡妈妈在窗口走过。伊还——"他顿住了不说下去。

"伊还什么？"

"伊还在窗口里向我瞧一瞧。"他的眼光向白发驼背的老妈子掠了一掠。

老妈子似乎听出来了什么，张口说："什么？阿福，你说是我偷的？"

霍桑挥挥手，道："胡妈，你听错了，他没有说你偷。现在听我说。我知道今天早晨，这佛堂里不只阿福一个人来过。这里的地是谁扫的？"

没有人答应。胡妈的嘴里在唠咕着"说什么？说什么？"。

霍桑不理伊，眼光在其余三个人的脸上扫一扫，又停住在阿福的脸上："阿福，可是你？"

"不是。这佛堂的地天天是小三子扫的！"

小三子忽吞吐地应道："是……是我扫的。"

霍桑又横过目光来向伊一瞧，点头道："好，现在我已经知道了，今天早晨有两个人进过这佛堂。可还有别的人进来过吗？"

又没有回答。除了三子和阿福以外，那王老头儿和胡妈对于这问句都默然不应。室中引起一种紧张的静寂。振之仍一眼不霎地瞧着霍桑，神气上似很关心霍桑会造成一种下不来台的僵局。我也有同样的感觉。可是霍桑的神色仍沉着如常，既不犹豫，也不失望。

一会儿，那王老头儿终于耐不住，气愤愤地说："霍先生，你既然知道了谁是行窃的人，请你就说个明白，何必这样子拖三累四？"

霍桑仍宁静地答道："老王，你的话不错。请你耐心些，我就要说出这个人来了。现在我们虽已知道今天早晨阿福跟三子进来过，但难保没有第三或第四个人暗中来过，不过这个人此刻却不肯承认。"

老王又高声说："我可没有进来过！胡妈，你呢？"

老婆子又着了慌："我……我没有偷啊！"

看门的大声说："不是说你偷。你今天早晨有没有进这佛堂里来？"

胡妈摇头道："也没有啊！"

小三子带着哭声说："先生！我……我也没有偷珠子！"

振之忽插口说："霍伯伯，你到底知道这偷珠的人吗？"

霍桑抬头瞧着他，答道："唔，我虽还没有知道，但我可以证明这个人。"

"怎样证明？"

"我知道那人偷得了珠子以后，因着心惊胆虚，怕被别人进来冲破，或是一时心慌，不敢把赃物藏在身上，却顺手将珠子藏在铜香炉里。现在你们不妨走近来瞧瞧。"

四个人勉强地走近些。老王居先，胡妈随后，第三个是阿福，那小使女三子落在最后。

霍桑指着香炉，说："这香炉今天还没有装过香，可是炉中的香灰却明明被什么人的手指搅动过了。这样我们便可以有一个明确的证据，就是那窃珠人的指甲之中势必还留存些香灰。现在我只需把你们四个人的指甲仔细验一验，便可知道谁是——唉——唉！三子，你为什么急急地弹你的指甲？哈哈！小孩子，你到底资格还浅。我瞧你的手已经洗过了，实际上未必会有香灰留在指甲中。你中了我的计，竟心虚起来，自己招认了！好了，现在我们不必多说了。三子，你的年纪还轻，怎么干出这种没志气的事来？不过你若能从此悔过，我还可以劝劝你的主人，饶赦你这一次。现在你自己把那东西拿出来吧。"

另一个曲折

小三子的脸上已没有一丝血色，牙齿在厮打，吓得几乎站立不住。幸亏霍桑的态度和说话的声音并不怎样严厉，否则也许要使伊哭出来。大家静寂了一会儿，眼光都集中在那战栗的小使女的身上。

王老头儿厉声呵斥道："三子，你干了这种好事，连累我们受没趣！现在还不快些把赃物拿出来？"

三子仍旧不动，只是低垂了头发颤。

旁边的阿福拉着伊道："你还怕难为情？来，我来陪你过去！"

三子看见阿福过来拉伊的手臂，把身子一侧，便跨步走向桌子前去；接着伊就伸手到香灰里去掏摸。可是摸了一会儿，伊忽抬起头来，伊惊惧的目光变成了诧怪。

伊失声呼道："哎哟！我当真是放在香炉里的啊！现在珠子不见了！"伊的整个儿拳头都已没在香灰里面，却到底失望。

霍桑的脸上忽也微微变异，刚才那种冷淡而镇静的态度此刻已消归乌有，替代的是一种紧张的神气。他炯炯的目光不住地向四周瞧来瞧去。他瞧瞧香炉，瞧瞧窗，又瞧瞧壁角。他显然惶惑了！

他立起来，作惊异声道："喔，当真没有？"

三子带着哭声，答道："当真没有了啊！"

我也不觉替霍桑暗暗地担忧。这件事虽然琐细，却不料还有这样一个曲折。霍桑虽已查明了偷珠的人，但万一查不出珠子的下落，至少也须算是一次小小的失败。

霍桑摸着下颏，又惊讶地说："那么这里面一定另有——"

他说了半句，忽而走到窗口，抬头向对面右厢房楼上振之的卧室的窗口望了一望，又回头瞧瞧佛龛。接着他点点头，嘴唇牵了一牵，把眼光移到我的身上：

"包朗，你真有先见之明！你方才曾说起我们的小朋友米慧生。不错，此番我们又可以多得一位小朋友，将来也许同样可以传我们的衣钵！"

我的眼光横射到孩子的脸上："振之，珠子是你拿的？"

霍桑忙摇摇手："不，不是，你别冤枉他！"

我问道："怎么？"

霍桑的神气恢复了："没有什么。这件小小的窃案已给一位小侦探侦探出来了！当这窃案进行的时候，那小侦探在窗口中亲眼看见的。不过他还要试试我的智力，所以移开了赃物，秘密着不宣布。幸亏我还没有老昧，总算查明了这窃珠的人。现在我要介绍这位小侦探出场了。"他笑嘻嘻地用目光瞧着我旁边的振之。

振之本和我并肩坐着，静悄悄地瞧霍桑查究，除了插过一两句问句以外，没有别的表示。当我问他时，他虽不及回答，但也并不惊慌。不料弄这个玄虚的果真是他。

振之的脸上红了一红，站起来，笑着说："霍伯伯，我实在冒昧得很。但你竟能够在一瞥之间完全明白，你的眼睛真可说是'千里眼'！我一向读了包伯伯所记的你的探案，真是佩服得很。此刻我竟眼见你亲自试验，更使我——"

霍桑不等他说完，拍拍振之的头，说："好孩子，你的前程真未可限量。现在你且说明白，这珠子已移到什么地方去。我们不能够多耽搁，吃了早饭，就要乘二班车回上海去呢。"

振之又笑嘻嘻地答道："霍伯伯，你不妨再用一用脑力。你可知道这珠子已换到了什么地方去呀？"

霍桑脸上的笑容忽又突地收敛住。他把两目凝视在振之的脸上，一时竟答不出话。我也暗暗吃惊。这孩子真是顽皮得很。他还有这么一着！霍桑分明也不防有此。如果他答不出来，当着这四个仆人的面，岂不是也要失一个小小的面子？可是一刹那间，我看见霍桑的两目很迅疾地在佛龛前一瞥，又霎了两霎，忽又回复了他的先前的笑容。

他说："孩子，你好厉害！可是你说的一个'换'字，竟露出了马脚；并且你的一瞥的目光，也引了我的思路。否则这一着我也险些要被你难住！"他说完了，伸出右手，指着那佛龛面前的一副锡质寿字烛台："振之，你不是把珠子从香炉中换到了烛台盘里去了吗？唉！瞧！这左边一只烛台盘的如意头形的红纸盖上不是还有些香灰吗？我想我不见得会料错吧？"

他且说且把那红纸糊成的烛台盘盖揭开。我看见他的两个手指伸进去一探，便取出了一粒如赤豆般大小的珠子。于是我才吐出一口气，替霍桑放下了一副不轻不重的担子。这一件小小的案子也就此结束。

这件事弄明白以后，松琴少不得要把振之训斥一番，说他不应该弄这狡狯。丁太夫人也一定要把小使女三子除退。但这事到底是否实行，我们因为急于动身，并不知道。在火车上，我问霍桑，他根据着什么才确信那珠子是屋中的仆人窃的。

霍桑答道："这是很显明的。门户不开，当然不是外贼。昨天宾客虽多，也没有行窃的可能，我刚才已经把理由说明白。不过找所以能一看就明白，也有一个线索。我看见那香炉的边口和炉座旁边都有一些香灰遗留；更仔细一瞧，便完全了然。不过我料不到还有一个曲折，第二着藏珠的所在，我几乎失败在这个小孩子的手里。唉，包朗，'后生可畏'，孔老先生真说得不错。我们应随处牢记着！"

霍桑的童年

十几年来，我的文牍橱中已经积压了不少读者们写给我的信，要我把霍桑的家世以及我和他订交的情形披露出来。这原是人们的一种好奇心理，动机是很纯正的。大概我们平日所景仰或崇拜的人，对于他的生活或历史，虽和我们没有直接的关系，却都有愿意知道的倾向。现在我为总答复投信人们的盛意起见，姑且把他儿童时代的小史以及我和他的交谊，叙述一二，借以满足读者们的好奇心。

在已往的封建制度的社会中，平民阶级大概分作士、农、工、商四级，其余便算不入流品。寻常的人，总是各占一级，最多也只跨着两级——譬如半耕、半读、亦宦亦商之类。可是霍桑的父亲——霍有志——是一个奇怪不过的人。他的职业，四民之中，竟占了三民，原来他读过书，应过考，又开铺子做过商人。后来却终于做了劳动的农夫。

霍有志生长在科举时代，承着祖宗的书香，第一步当然也逃不出传统的"显亲扬名"的圈子。可是他天性倔强，做出文章来也是强头悖脑，不入考官的眼睛。他便违背了他父母的遗命，丢了书本，矢誓不进考场。于是他不顾亲戚朋友们的讥笑或讽刺，便毅然决然地降格去做商人。须知那时候人们心目之中，对于社会的阶级看作铁铸般的牢固。仕商之间，有一个无形的高深的沟垒，有人如果弃仕而就商，无怪要被看作降格了。

有志做了几年生意，对于算盘声的聒耳和锱铢必较的劳心，又觉得厌倦起来，他趁着他的意志自由，便一变而成农夫。他的务农，并不像一般大人先生们的自鸣高蹈，隐名于农的一样。他也一样下田去工作，驾犁、放牛、施肥、割草等，什么都能动手。他实是一个实践劳动主义的老农，可是却因此受尽了一些所谓士大夫阶级的轻视和欺凌。

他这样的性情，在旧社会中，实在是可以算得突出的。因此他的儿子霍桑，秉承着他的遗传，也就成了一个出奇的孩子。

霍有志是好动而不好静的，霍桑也是一样，一天到晚，没有一刻宁静。并且霍桑的自由意识特别强，在他的儿童时代便显露出来。

他们的原籍在安徽怀宁。那里有不少名山大川。霍有志务农以后，习于安居，不喜欢他的儿子到外面去游玩。霍桑却一得机会就往外走。有一次他结了几个同伴，到黄山去游了三天。他游山时不肯走原有的蹊径，总喜欢攀树窬岩地别寻新途，弄得回家时衣破鞋穿，不成样子。自然，他父亲知道了，会大发雷霆，严加责罚。霍桑一时不得不敛迹些，可是过了几天，他的老脾气又发出来了。

他曾经很率直地向他的父亲说："我好似有两颗心，一颗心很愿意遵从父亲的吩咐；还有一颗却往往立于相反的地位，和先前的心争抗。争抗的结果，我身体上的手足都不知不觉地屈服于反抗的心，那顺从心便归于失败。所以我并不是故意逆命，实在是身不由己啊！"

某一年的新正，霍桑的父亲，特地高高兴兴地给他做了一件缎子的皮袍。不料穿上身三天，那件新衣上便发现了一个破点。原来那袍子的里襟已被霍桑自己剪去了。他父亲自然要斥他几句，霍桑却还振振有词地答辩着：

"袍子是我穿的，似乎不干爸的事。"

"袍子虽是你穿，却是我做给你的，我应得有顾问的权力。你不应擅作主张，把好好的一件袍子弄坏。"

"我何尝弄坏？"

"里襟哪里去了？"

"里襟去掉了，岂不是一样穿？"

"到底破了相！"

"穿衣的目的在适体，'相'有什么关系？"

"我活了这些年纪，不曾见人家穿没里襟的袍子！"

"人家有没有里襟，不干我的事。我的衣服却只讲适用不适用。爸，请想一想，我们的右腿，既不是特别怕冷，为什么要累累赘赘地多盖一块在上面？况且有时那里襟角还要露出来，好像里面衬了一件不长不短的袄一般。不是不但没用，而且反不便吗？"

他的父亲觉得他倒也言之成理，说他不过，只得笑了一笑。但心中却终觉得这孩子近乎"反常"，有些不满。

论理，有志木是一个喜欢意志自由的人。他先前也曾有过同样的反抗举动，这时他自己爬到了掌权的父亲的地位，对于儿子的意志自由，似乎应该是能谅解而同情的。可惜人们的心理上，常天赋着一种自私的弱点，若不经过深切的培养，不容易把它制伏，同情心便也不容易发展。真像旧社会中恶婆虐待儿媳，往往有许多惨无人道的事，等到被虐待的媳妇自己达到了婆的地位，伊也会忘了易地而处的谅解，照样把虐待的手段实施给下一代！所以事实的结果，便往往陈陈相因地和理性相反了。

据心理学家说，人们在童年时所接受的印象比较深切的观念，一经感受，往往终身不易磨灭。这一个理论，在霍有志身上也同样应验。

有志幼年适当科举的时代，他所受"显亲扬名"的教育，自然十二分深刻。他本身虽然摒弃一切，没有成全他的显达的愿望。但他这个愿望，到底潜存在他的下意识中，没有全部磨灭，他还希望霍桑能够继承它。因此之故，他时时用这种观念教育霍桑，希望他入校以后，步步上进，将来能够得到一个"硕士""博士"的头衔，光耀他家的门楣。不料霍桑于此，竟又使他的父亲大失所望。

霍桑在小学的时候，听那师长和同学们的舆论，已是毁多誉少，都说他是一个顽皮和不听教诲的学生。虽则也有几个别具只眼的师长，赏识他的天性颖悟，但是究竟敌不过说他坏的人多。他的顽皮历史，第一项就是喜欢管闲事，看见年长的同学欺侮幼小，他会挺身而出，和强暴的人搏斗，虽打不过而至头破血流，但亦不退缩。当然有时候他也会打得对方的鼻子里出血，因此给教师们带来不少麻烦。他因着过分活跃的缘故，又时常破坏课堂中的规则，但最大的罪是顶撞师长。当先生们授修身课讲解经训的时候，他最喜欢立起来问根究底地辩难，有时他竟发出种种出人意料的问句。

例如：古人说的话怎么会完全对，怎么一定会比现代人的正确？今人为什么不及古人，是不是古人还多一个脑子或是多一只手？此外还有不少难答的问句，如：人为什么要死？乌鸦怎样会飞？

教师们被他问得窘了，一阵脸红，就说他故意顶撞。于是打手心便成了惯例，有一次甚至说霍桑"孺子不可教"而因此斥退。他的父亲听得儿子被先生斥退，又听得众口一词地说他顽皮，便觉得他的希望落空，不由气得发昏。

霍桑的母亲是很疼爱霍桑的，而且也比较了解伊的儿子的性格。伊对于斥退的事，也曾婉言劝过他一番。霍桑不知不觉地流出泪来。

他向他母亲说："我所以被斥退，自己也不知道为什么缘故。若说我故意冒犯先生，那实在是冤枉的！"

霍桑在小学校里的时候，虽有种种顽皮的历史，但有一件事却曾得到一位姓王的教师的赏识。有一天他新买的一支纯羊毫毛笔忽然不见了。他报告先生，请求替他寻回来。王教师以为一支笔不值多少钱，并且没有特别标识，就用"无从查究"的话回绝他。霍桑却心不甘服，便在王教师离开课室的时候，擅自矫了教师的命令，向同学们宣言：

"王先生说的，五分钟内，各人都把自己的笔交到书桌上来，然后再搜查各人的座位和书包。因为我的笔虽没有姓名刻着，却是有记识的。笔杆头上雪白干净，还是新笔，很容易辨认。"

这几句宣言一发，数分钟内，他果然寻到了他已经失掉的笔。原来他在许多笔之中，发现一支新笔，笔杆头上却被涂了许多黑墨，显然是故意如此的。这就是窃笔的人，受了他的暗示，准备借此掩饰，不料反中了霍桑的计。

事情被发觉后，那个起先拒绝他的王教师，非但不责他矫命，还着实奖励过几句。这一着对于霍桑后来的事业竟有很大的关系。因为经他一激，霍桑的意志和兴趣便因此奋发了许多。

他每逢追忆前事，常对我说："我幼时不知经历了多少意志上的挫折，独有我试验侦探行为的第一次，竟得到了王教师的同情。我因而感觉到兴奋有趣，才有今天的事业。我真一辈子忘不掉王教师！"

霍桑在大公中学时期，我便开始和他缔交，有许多轶事都是我所目击，而深得我的同情的。他进了中学以后，他自由意志的范围益发扩充。他喜欢技击，就是现在新名词叫作武术，练习最认真。他和几个同学，一块儿去投师学拳。但他学拳的旨趣在于强身，和其他同学有些不同。他早知道强健的体格是一一切事业的基础，也是强国强种的第一条件。而别的同学却大半把练习技击，误认作是一种斗狠好胜、争风打架的准备。这一种差别，他曾在一件事实上证明过。

霍桑的年龄最小，但因身体结实灵活，拳术上却是最进益的。他们见霍桑的技能出众，身材又敏捷活泼，认他是一个有力的打手，就发起拉帮结派的事。霍桑也胡乱答应了，便居于十弟兄的末位。

不多几时，那位老大哥吃了人家的亏，约着他的盟弟们去翻本。霍桑主张的是人与人之间有相互服务的天职，最可鄙的是自顾自；损人而利己，当然更是他所深恶痛绝的。这一次盟兄有事，他自然也参与其列。他跟到了肇事地点，便走上去向对方质问情由。他问明白以后，忽然反转身来，板着面孔，反把他的盟兄老大哥痛打一顿。打完之后，他才向别的盟兄弟们解释：

"我已经查明白了！我们的老大，因为到这里来调戏人家的女子，才受人家的辱骂。这实在是老大自取其咎。此番他约我们到来，我们险些上他的当，干出助纣为虐的勾当来。我们做事，不可单凭感情，要有明澈的理智，否则就危险了。我现在儆戒他一番，教他知道以后不可欺侮人家的妇女。我们总也有姊妹，要是给人家欺侮了，我们做兄弟的会感到怎么样？想一想，我现在儆戒他，应该不应该？"

那些盟兄弟们本是对老大表同情的，这时听见霍桑说得如此理直气壮，个个都有些内愧，谁也不敢有异议，动手更说不上，原因是打不过霍桑。那老大哥吃了一顿无名"生活教训"，也因为敌不过霍桑，只得忍气吞声地溜跑了。然而因这一事，他们就开始撕帖子绝交，都说霍桑是一个没"义气"的坏人。

霍桑的性情真像一只没羁勒的野马，什么法则和规律，都缚他不住。他的年纪越大，好奇心越发厉害。他喜欢追究事物的根由，凡他所不曾经见的社会和去处，总要插身进去领略一番。

一天晚上，人家看见他从一个秘密的赌场中走出来，衣囊中还有银币锵锵的声音。于是议论纷纷地说："霍桑习染了赌博，愈趋愈下流了。"其实他并没有赌，只是偶然瞧破了一个赌徒的作弊，无形中喊了一声。那赌场主人忽而悄悄地把两个银币塞在他衣袋之中。他急忙退出，脸上满含着羞容。从此以后，他再不踏进那个赌场里去。

霍桑在中华大学的时候，虽因着父母的迫切期望和环境的要求，不得不压抑了他的自由意志，勉力就范，但他心中却始终反对"资格主义"。他对于把分数和文凭做求学目标的学生尤其鄙视。

他常说："学问不是个人事业的敲门砖，学问的对象也不是限于个人利益的事业，而是整个国家和民族的福利。百多年来，我们的国家受尽了他人的欺侮和压榨。复兴自强的希望完全寄托在青年男女的身上。要是青年们仍是浑浑噩噩，受教育只是着眼在个人主义，那我们的国家真是要万劫不复了！"

他所读的功课，不拘新旧，只拣选合时代而有实用的几门，譬如哲学、心理、化学、物理等，都是他专心学习的。学习时总是孜孜不休，不彻底了悟不止。但别的学科，他虽也忍着性子勉强来研究，却终没能有什么成效。但那个时期，学校的成绩是必须平均计算的。他因此便不得不让人家去名列前茅，而终于违反了他父亲的夙愿，抛弃文凭，中途辍学了。

他对于这一点，也深深地痛恨现代教育制度的不良。他曾发过这样几句牢骚："现在的所谓新教育，真是可笑可怜！好像一个学时髦的穷傻子，羡慕着阔邻们的器物华美，便照样铺排起来。有了批霞拿①，再加留声机，雷狄亚②；不论有没有用，宁多勿缺，必须色色齐备，挤坍了屋子倒不妨事，只是排场点缀不能比阔邻们减色！在这种制度之下，别说有特殊天才的没有发展希望，就是一般青年的脑子也不知因此断丧了多少！那岂不可叹！"

那时他父亲对于霍桑的期望，眼见得完全落空，父子间的感情便越加冰炭。霍桑因着他父亲不能谅解，也觉得非常难受。幸亏他有一位理解他的母亲，早就承认他不是一个庸碌的人，他的精神上才稍有慰藉和兴奋。直到如今，他每逢探案上得到胜利以后，他总要归功于他已故母亲的理解和诱掖。但他对于他的父亲也并不怎样抱怨。

---

① 雪茄旧时常被叫作"批霞拿"。
② 一款红酒音译。

他常谅解地说："我父亲是一个农夫，也是一个被压迫的人，受尽了人家的闲气。因着他潜存的反抗意识非常强烈，便期望我立些高名，给他吐吐气。所以他生前唯一的目的，只希望我能够立名。可惜他的见解错误了，以为只有取得了空洞的头衔才可以成名。其实人的地位的高下，在于他对于社会大众的贡献的多寡。我现今为社会服务，尽我一份的绵薄，他泉下有知，也可以稍稍慰藉了吧。"